LE MESSAGER DU DÉSERT

Déjà parus
dans la collection « Turquoise »

1 LA NUIT EST A NOUS Nelly
2 JUSQU'AU BOUT DE L AMOUR C Pasquier
3 LA FIANCÉE DU DÉSERT E Saint-Benoît
4 COUP DE FOUDRE AUX CARAÏBES B Watson
5 TEMPÊTE SUR LES CŒURS I Wolf
6 MIRAGE À SAN FRANCISCO A Latour
7 ET L AMOUR, BÉATRICE ? A Christian
8 ORAGES EN SICILE K Neyrac
9 RÊVE D'AMOUR A VENISE H Evrard
10 L'INCONNU AU CŒUR FIER R Olivier
11 AU-DELA DE LA TOURMENTE Y Wanders
12 L'HÉRITIER DE GUÉRINVILLE C Pasquier
13 UN VOLCAN POUR ÉLISE E Saint-Benoît
14 LE REGARD DE L AMOUR F Harmel
15 LE CŒUR ÉCARTELÉ B Watson
16 SOUVENIR D'UNE NUIT INDIENNE J Fontange
17 LES PIÈGES DE L AMOUR I Wolf
18 LES LUMIÈRES DE BEVERLY HILLS J Nivelles
19 COMME UN ROSEAU C Beauregard
20 UN AMOUR SAUVAGE R Olivier
21 TU ES MON SEUL AMOUR Nelly
22 LE RENDEZ-VOUS DU BONHEUR B Watson
23 ALBANE AUX ILES E Deher
24 LE TOURBILLON DES PASSIONS C Pasquier
25 CYCLONE A TAHITI C Valérie
26 LA COURSE ÉPERDUE J Fontange
27 LA MADONE AUX VIOLETTES E Saint Benoît
28 UNE VALSE DANS LA NUIT C Beauregard
29 PASSION MAYA A Pergame
30 LE SERMENT DE MINUIT K Neyrac
31 L'INCONNU DE L'ILE BOURBON O Deschamps

32 Le cœur vagabond B Watson
33 Flora P Vincent
34 Le bal de l'empereur Nelly
35 Parc aux cerfs. J. Nivelles
36 L'inaccessible amour C Beauregard
37 Secrets ravages. R. Olivier
38 Sous les mousquets du Roy E Deher
39 Les amants de Saint-Domingue E Geoffroy
40 Battements de cœur a Beattonsfield N Saint-Leu
41 Les sortilèges de l amour O Granville
42 La nuit des insurgés. M Bergerac
43 Belle-Aurore G Hardy
44 Le sceau de la passion Nelly
45 A l'ombre d'Esther C Valérie
46 L'amour secret de Napoléon E Saint Benoît
47 Le chevalier de Pontbriand D Saint-Michel
48 L'incroyable vérité C Pasquier
49 Mariage blanc C Beauregard
50 L'aube ensanglantée O Deschamps
51 Tournoi pour un amour E Deher
52 La prière d'un corps. B Watson
53 Le carnaval du mystère C Valérie
54 Au bord du sacrifice C Beauregard
55 Les fantômes du passé N Daniels
56 Le safari de l'amour H Mesurat
57 Le portrait du destin C Le Rogan
58 Le secret de Strinberg Nelly
59 Ardeurs secrètes B Watson
60 Le messager du désert A Pergame
61 A cœur perdu S Ardant

AGNÈS PERGAME

LE MESSAGER DU DÉSERT

PRESSES DE LA CITÉ

ISBN 2-258-00723-2

1

Et voici Sabine Rivière!

Un murmure d'intérêt salua l'arrivée de l'envoyée spéciale du grand quotidien On ne l'attendait ni si jeune, ni si jolie sans doute L'attaché de presse, un jeune homme blond, élégant, à la mine sérieuse, l'accompagnait à travers les salons de la résidence de l'ambassadeur de France à Tunis. Dans la robe rouge et blanche qui mettait en valeur son corps épanoui, elle avançait avec aisance pour saluer ses hôtes. Sous le casque de ses boucles noires coupées court, la gravité du regard contrastait avec la bouche sensuelle, l'ovale satiné du visage

— Nous avons lu vos derniers reportages sur la femme égyptienne, dit aimablement l'ambassadrice, une petite personne blonde agitée et sympathique C'était une série passionnante!

— Je vous remercie, répondit la jeune femme avec grâce En fait, j'ai la chance de parler arabe et cela facilite beaucoup mes contacts

— Vous avez aussi du talent, affirma l'ambassadeur D'ailleurs, si Jean Duvivier vous fait confiance

Il n'y avait pas longtemps que Sabine pouvait entendre ce genre de commentaires flatteurs sur son travail Pendant deux ans on l'avait chargée au journal de toutes les tâches obscures de documentation Quant au reportage, elle l'avait assuré par hasard, les envoyés spéciaux habituels ne se trouvant pas disponibles. La chance avait voulu qu'elle transforme en succès une mission jugée au départ très secondaire Depuis, au risque de vexer de plus anciens collaborateurs, Jean Duvivier lui permettait de signer dans la rubrique du Moyen Orient des articles politiques Cette faveur du grand patron lui donnait un prestige nouveau qui constituait une sorte de revanche sur son passé Sa réussite, en somme, avait commencé lorsqu'elle avait pu signer sous le nom d'emprunt de Sabine Rivière et, de cette manière, changer d'existence et d'identité

On continuait à lui présenter les invités En cette période de crise, les diplomates accrédités à Tunis se réunissaient surtout pour échanger leurs informations. On parlait depuis plusieurs jours d'une tentative possible de prise de pouvoir par des éléments pro-libyens Cette menace pesant sur le régime expliquait d'ailleurs l'arrivée de Sabine, deux heures plus tôt, à l'aéroport de Tunis-Carthage

— Je ne sais si j'ai raison de vous envoyer là-bas, avait avoué Jean Duvivier en la quittant, vous êtes capable de faire du bon travail, mais pour une jeune personne

— Je suis journaliste, monsieur, avait fermement répliqué Sabine, et je veux apprendre mon métier sur tous les fronts !

— N'exagérons rien ! avait-il répondu en riant La Tunisie n'est pas un front ! C'est une terre accueillante et paisible Vous la connaissez, si j'ai bonne mémoire ?

— J'y suis née, en effet, et c'est là que j'ai appris la langue arabe.

En répondant, Sabine s'était assombrie Certes, elle avait aimé ce pays, mais depuis deux ans, elle reculait le moment d'y retourner pour mener des recherches indispensables qui n'auraient rien à voir avec la politique Mais elle n'aurait jamais osé avouer à son prestigieux patron la nature de cette enquête Il lui aurait fallu révéler tant d'autres choses, alors que Jean Duvivier connaissait seulement « Mlle Sabine Rivière »

Maintenant, assise sur un canapé du salon central, au milieu des lumières et des bouquets, elle était à pied d'œuvre Déjà on faisait cercle autour d'elle

C'étaient surtout des hommes qui se pressaient, sa beauté n'en était pas la seule cause, cependant, mais plutôt le fait que son travail la plaçait de plain pied avec ces diplomates passionnés de politique Avec une certaine nostalgie, elle observait de loin les groupes de femmes disséminés dans les trois salons Leurs robes scintillantes, les coiffures étudiées qui les mettaient en valeur laissaient penser qu'elles avaient pu consacrer plusieurs heures à leurs toilettes Depuis qu'elle était journaliste, Sabine au contraire avait coupé ses longs cheveux et adopté des tailleurs stricts Quant à ses robes du soir, elles sortaient souvent d'une valise et elle-même d'un avion, lorsqu'il lui fallait assister à une réception Pourtant, elle avait été elle aussi une belle insouciante, surveillant l'éclat de sa peau, le vernis de ses ongles longs Cela n'avait guère duré Rien d'heureux dans sa vie n'avait jamais duré, d'ailleurs. Et maintenant, elle était devenue Mlle Sabine Rivière, une femme ayant rompu avec son passé

— Ma pauvre amie, ils vont vous fatiguer! s'écria une ravissante jeune femme, venez vous reposer près de nous et profiter du buffet!

— Avec plaisir, dit Sabine en se levant Nous sommes en réalité des bavards impénitents qui ne pouvons ni conjurer ni provoquer les événements

— Que pensez-vous de mes bouquets? interrogea la jeune femme en posant une main fine sur le bras de Sabine Comme je suis célibataire ce soir, l'ambassadrice, qui était très occupée, m'a demandé de m'en charger

— Ils sont superbes répondit Sabine sincère, mais cela suppose un petit massacre de branches d'amandier

— Oh, je n'en ai pas coupé tellement!

Sur leurs hampes orgueilleuses, les fleurs blanches dominaient les vases de cristal taillé En les apercevant à son arrivée, Sabine avait eu un choc Mais elle ne pouvait confier à sa charmante interlocutrice les raisons de l'émotion qui l'avait saisie au spectacle des délicates branches En réalité, c'était toute son enfance qui lui était remontée en mémoire Il y avait deux amandiers dans le jardin de Sidi Bou Saïd qui abritait leur maison Chaque année, c'était sa mère, Mme de Puymorens, qui annonçait en ouvrant sa fenêtre « Tiens, les amandiers fleurissent, le printemps n'est pas loin »

Et, chaque année, c'était en janvier, dans ce pays de douceur et de lumière, que le printemps s'annonçait, quand l'Europe, de l'autre côté de la mer, était encore pour plusieurs mois la proie des brouillards et des pluies.

Cela faisait partie de la vie heureuse Mais, depuis deux ans, un tournant mauvais avait renversé une fois encore le cours des choses Personne ici ne s'en doutait, heureusement, et cette assurance lui était un grand réconfort depuis son arrivée

— Quelle chance de faire un vrai métier, un métier d'homme! s'écria l'ambassadrice Et pourtant, ma chère, vous le représentez avec une telle féminité! J'imaginais une femme d'âge respectable, laide peut-être, et lorsque je vous ai vue arriver vous m'avez éblouie!

Elle grignotait un sablé Ses yeux bleus brillaient

Son embonpoint de petite femme boulotte la rendait encore plus gaie, semblait-il

— Il est vrai que Mlle Rivière doit avoir beaucoup de satisfactions, renchérit la spécialiste des bouquets, dont le chignon brun était piqué de fleurs. Je rêvais d'être reporter lorsque j'ai rencontré Serge, mais évidemment, le mariage

— C'est une activité difficile à exercer si l'on veut fonder une famille, approuva Sabine, avec plus d'amertume que ne le laissait soupçonner le ton neutre qu'elle avait adopté

— Mon mari, en tout cas, n'admettrait pas! Il est si jaloux qu'il lui arrive de me faire raconter mes rêves! ajouta la jeune femme en pouffant de rire

Elle s'immobilisa soudain, redevint sérieuse et, un doigt mutin sur sa bouche, chuchota :

— Chut! chut! Il est arrivé, je crois

En même temps, il se fit un mouvement parmi les invités du premier salon

— Vous croyez vraiment que c'est lui? interrogea une autre.

— Mais oui! Le voilà avec l'ambassadeur, sans doute, de loin, je ne le vois pas bien, est-il toujours aussi beau?

— Magnifique! s'écria la jolie brune Et dans son visage rond et enfantin mais savamment relevé par le maquillage, une expression de plaisir et de convoitise avait passé

Amusée par l'enthousiasme de ces dames, Sabine se laissa conduire dans un nuage de parfums Elles l'entraînaient vers le premier salon, où un groupe d'hommes et de femmes était rassemblé autour du nouvel arrivant

« Elles sont à l'affût d'émotions fortes, songeait-elle avec surprise, pourtant, leur vie pourrait être intéressante, si elles ne se cantonnaient pas aux rumeurs d'ambassades. Quel genre de bellâtre peut les exciter à ce point? »

Dans la réalité, Sabine, une coupe à la main, souriait avec courtoisie à son escorte, mais son esprit était ailleurs. Le brouhaha confus des conversations, des rires, ajoutait à l'impression d'étourdissement qui s'emparait d'elle

Soudain l'ambassadeur, s'ouvrant un chemin au sein du groupe qui l'entourait, s'avança vers Sabine avec le nouveau venu

— Mon cher ami, nous avons ici une autre invitée de marque, elle nous arrive pour les mêmes raisons que vous. Je vais donc vous présenter Sabine Rivière . Voici Julien de Croiseau, mademoiselle, il arrive de Beyrouth.

L'homme qui se tenait devant elle était toujours aussi mince, aussi élégant. Ses yeux verts, curieusement étirés vers les tempes, lui donnaient le regard embusqué d'un chasseur Il toisa sans ciller la journaliste :

— Ai-je bien entendu? Vous seriez Sabine Rivière? A la place de Jean Duvivier, je ne vous aurais pas choisie pour ce reportage, remarqua-t-il sur un ton persifleur. Mais peut-être a-t-il ses raisons

— Vous oubliez qu'il s'agit d'une personne exceptionnelle, qui connaît très bien les problèmes tunisiens, elle nous l'a prouvé tout à l'heure, et même si sa fragilité apparente, sa jeunesse, sa beauté

— Duvivier est assez férocement journaliste pour savoir utiliser toutes les armes afin d'être informé c'est un limier sans grand scrupule, ricana Julien de Croiseau.

— Allons, allons, dit l'ambassadeur, visiblement gêné, vos rapports avec la presse ne sont pas toujours sereins, nous le savons, mais ce soir...

De son côté, Sabine se taisait, glacée par la rencontre inattendue, éprouvante, avec l'homme qui la fixait, narquois, provocant. Elle captait avec désespoir la rancune, le mépris qui l'animaient.

Sabine sursauta, sourit machinalement au diplomate qui venait d'intervenir si étourdiment, mais ne parvint pas à articuler une parole. L'apparition de Julien la bouleversait. Elle avait toujours pensé qu'un jour l'affrontement se produirait, que tous deux se retrouveraient face à face, mais comme elle le savait en poste à Beyrouth, elle n'avait pas imaginé une seconde le rencontrer là.

La jeune femme brune au chignon fleuri qui l'avait entretenue près du buffet avec tant de gaieté s'avança vivement vers Julien Aussitôt, le regard de chasseur se tranforma . une douceur inattendue, irrésistible se répandit sur ses traits virils. Sabine sentit ses jambes se dérober tandis qu'il s'exclamait .

— Emma! Chère Emma! Vous êtes donc à Tunis! Mais c'est une nomination récente?

— Nous sommes arrivés il y a un mois à peine Serge est d'ailleurs absent pour trois jours. Il accompagne la valise diplomatique Quelle joie de vous revoir!

Julien de Croiseau avait pris entre les siennes les jolies mains d'Emma et, au mépris des autres invités, entraînait la jeune femme à l'écart.

— Ils se sont connus à Beyrouth il y a deux ans, expliqua l'ambassadrice avec tact, ils sont bons amis!

— Mademoiselle Rivière, le chargé d'affaires britannique tient beaucoup à vous être présenté, annonça l'ambassadeur qui tenait par le bras un homme d'une cinquantaine d'années, petit et rond, à la moustache brune très abondante

— Le le chargé d'affaires? balbutia Sabine, qui luttait pour ne pas s'évanouir au milieu du salon

— Mon ami George Window Il vous admire

depuis votre arrivée. Je me suis permis de lui faire remarquer qu'il n'était certainement pas le seul!

— Charmante amie, je suis très honoré, murmura Window en s'inclinant, et je me réjouirais d'avoir avec vous un entretien. Je connais bien Jean Duvivier, votre directeur. Je ne passe jamais par Paris sans que nous allions ensemble déjeuner chez *Matthieu*...

— Ce qui prouve que vous êtes un véritable ami. M. Duvivier réserve les délices de ce traiteur à ses « informateurs sérieux », dit Sabine, soulagée de pouvoir répondre normalement malgré son trouble

Pourtant, elle ne pouvait détourner longtemps les yeux du couple formé par Julien et Emma. Tous deux riaient de bon cœur sur le divan de cuir. Sur la table placée devant eux, le bouquet d'amandier dissimulait mal leurs mains furtivement rapprochées.

George Window suivit son regard et, se penchant sur son épaule, remarqua :

— Pauvre Serge! Il n'aurait pas dû accompagner la valise! Il est en train de perdre sa femme!

Sabine fut parfaite. Une expression de surprise candide se peignit sur ses traits tandis qu'elle affirmait :

— Ils sont une vraie paire d'amis, n'est-ce pas? C'est rare dans votre petite société si mondaine, monsieur le chargé d'affaires!

Et en même temps qu'elle plaisantait, Sabine, épouvantée, découvrait sa jalousie, sa souffrance au sujet de Julien. Elle savait si bien qu'il était impossible d'être l'amie de cet homme... Aucune femme, à sa connaissance, n'y était jamais parvenue Toutes avaient succombé au charme dont il savait si bien jouer... Mais jouait-il? Ne lui suffisait-il pas d'apparaître?

— Je ne pourrai certainement pas m'attarder beaucoup ce soir, monsieur Window, mais nous pourrons peut-être nous revoir pendant mon séjour

— Je vous raccompagnerai dès que vous le désirerez, intervint le jeune attaché de presse, décidément très attentif; mais je pense que Croiseau voudra vous parler; d'autre part, l'ambassadrice a prévu une petite *party* dansante dans la verrière...

— Je ne pense pas que M. de Croiseau attache une grande importance au travail des journalistes, riposta Sabine.

— Il est plutôt cassant, dit Window, mais quand il s'agit d'une personne aussi charmante...

— En effet, acquiesça le diplomate français, et il n'est certainement pas indifférent aux jolies femmes, puisqu'elles l'ont baptisé le don Juan du Quai d'Orsay. Mais je me suis laissé dire que cette réputation est peut-être surfaite.

— Vraiment? demanda Sabine avec légèreté.

— Oui. Il semble que ses entreprises de séduction ne dépassent jamais le dialogue mondain... On dit aussi qu'il a eu des problèmes sentimentaux, autrefois. Bref, on ne lui connaît aucun attachement particulier depuis qu'il est à Beyrouth.

— Les don Juan sont toujours impuissants, affirma Window avec une satisfaction comique, ils acceptent tous les breuvages offerts, mais ils ne savent pas vider la coupe!

Le petit homme but en riant son verre de champagne, accompagné par le jeune Français, que la plaisanterie semblait enchanter.

Sabine était mal placée pour apprécier la bonne humeur des deux hommes, et surtout leur scepticisme quant aux qualités de Julien de Croiseau. Malgré deux années de solitude, elle n'avait rien oublié, et depuis qu'il avait paru dans le salon, son cœur battait comme autrefois. Des souvenirs l'assaillaient, précis, poignants. Quand pourrait-elle guérir? Le voulait-elle?

Rose de plaisir, les yeux brillants, la jeune Emma bavardait avec animation Son interlocuteur ne la quittait pas des yeux.

« Il aime les très jeunes femmes, songeait Sabine, emportée par un dépit mesquin, il joue les pères séducteurs! Je suis trop vieille, désormais. Ces deux années m'ont changée Je suis une autre »

Mais qui était-elle, en vérité? Et lorsqu'elle le saurait avec certitude, serait-elle apaisée ou définitivement perdue?

— Si vous êtes fatiguée, je peux vous raccompagner, proposa soudain l'attaché de presse

Son désarroi était-il si visible et, dans ce cas, peut-être Julien aussi l'avait-il capté? Il ne fallait pas lui donner cette nouvelle victoire Coûte que coûte, elle devait réagir

— Je vais beaucoup mieux, au contraire, affirma-t-elle J'ai eu tout à l'heure un moment de lassitude L'avion, sans doute Allons nous installer près du grand bouquet

— Ne dérangerions-nous pas des retrouvailles? remarqua Window sur un ton faussement confidentiel

— Mais non, fit vivement Sabine, il y a un second canapé. Nous parlerons plus à l'aise

Visiblement ravis, les deux hommes suivirent la belle journaliste et, contournant la table au bouquet, passèrent près d'Emma et de Julien Ceux-ci ne prêtèrent apparemment aucune attention à leur présence Ils continuaient à parler et à rire de bon cœur

En croisant le couple, Sabine faillit trébucher, tant l'émotion pour elle était grande de se rapprocher ainsi de Julien, mais elle parvint à garder contenance et se laissa tomber avec soulagement sur les coussins de cuir, dans sa belle robe blanche et rouge L'attaché de presse prit place auprès d'elle, tandis que l'Anglais avançait un fauteuil pour leur faire face

Ils discutèrent longtemps. Sabine, comme un automate bien réglé, répondait juste. Pourtant, sa pensée était mobilisée Pas une fois, elle ne put capter le regard de Julien Emma, rendue plus belle et plus désirable par la joie qui émanait d'elle, rayonnait dans sa robe noire

« Ce qui est troublant, c'est le mélange de ta jeunesse et de ce fourreau qui te fait si femme » Le souvenir de ces paroles la meurtrit Ce soir-là, Sabine avait vingt-deux ans et lui trente-cinq Un orage avait balayé cette période merveilleuse Maintenant, c'était Emma qui avait l'âge du contraste troublant, dans son fourreau de femme-enfant Sabine avait désormais derrière elle la solitude et les larmes. Julien l'aurait-il reconnue s'ils s'étaient croisés ailleurs que dans ce salon? Lui, au contraire, était toujours l'arrogant cavalier, l'homme dur et dominateur dont elle avait éprouvé aussi la délicatesse, les abandons et la sensualité. Elle avait été folle d'espérer le retrouver un jour L'explication entre eux ne pourrait jamais avoir lieu

Perdue dans sa tristesse, elle sentit à peine la main du diplomate français effleurer son bras nu

Qui avait eu l'idée de faire diffuser dans les salons cette musique douce?

— Accepterez-vous de danser?

Déjà il l'aidait à se lever pour rejoindre, sur la piste improvisée dans la verrière, les premiers couples de danseurs. Sans avoir même à les regarder, elle sentit que Julien et Emma se levaient à leur tour Ils arrivèrent presque ensemble sur la piste

Lorsque, pour la première fois depuis leur courte algarade, leurs yeux se rencontrèrent et que Julien plissa les paupières pour mieux la narguer, Sabine posa la joue sur l'épaule de son cavalier dans un misérable réflexe de défi.

Des valses désuètes, mais très bien assorties aux salons et à l'assistance, les entraînèrent pendant près d'un quart d'heure Julien, tout en caressant le dos nu d'Emma, ne laissa jamais plus d'un mètre de distance entre eux et Sabine Un moment même, son épaule frôla celle de la jeune femme, qui tressaillit Son compagnon la serra alors un peu plus fort dans ses bras et murmura à son oreille

— Vous avez dû entendre cette formule dans une dizaine de capitales, mais depuis que je suis allé vous prendre à l'aéroport, je ne me reconnais plus.

« Depuis que je vous ai vue, je suis furieux contre moi-même » C'était la voix de Julien qu'elle entendait, le Julien d'autrefois, rencontré trois ans plus tôt

La musique cessa Il était plus de minuit

— Je vais vous raccompagner, dit le jeune diplomate, qui espérait peut-être beaucoup de ce trajet

— Alors, allons saluer nos hôtes.

L'ambassadeur venait de s'arrêter près de Julien et d'Emma, leur barrant la route Sabine s'avança sans hésiter :

— Je vous remercie, monsieur l'ambassadeur, j'ai passé une si bonne soirée

Puis elle vit Julien s'éclipser en compagnie d'Emma Sans doute voulait-il éviter d'avoir à observer vis-à-vis d'elle la moindre courtoisie

Avançant l'un près de l'autre à travers les salons, la journaliste et son compagnon saluaient rapidement les invités. Il y eut encore quelques présentations. Tout cela paraissait charmant et dérisoire à la jeune femme Pourtant, il lui fallait se ressaisir au plus vite, « téléphoner » son article et se préparer à aborder, le lendemain, l'autre mission, plus secrète et plus vitale, puisqu'elle concernait son avenir

— Enchantée Bien sûr Bonsoir, monsieur Oui, madame

Puis son compagnon déposa sur ses épaules nues un manteau léger et lui prit le bras pour descendre les escaliers menant au jardin La portière d'une voiture blanche claqua sur elle Ils prirent la route bien éclairée qui les mènerait en vingt minutes de la plage de Gammarth, à Tunis.

— Rassurez-vous, je ne profiterai pas de votre fatigue pour vous assommer de confidences romantiques, affirma l'attaché de presse Cependant, vous m'avez fasciné C'est si inattendu

— Vous verrez plus clair demain, fit Sabine en riant Les soirées tunisiennes sont divines, elles inspirent dangereusement

— Pourtant je suis sûr

— Vous ne pouvez être sûr Je suis peut-être une abominable mégère, une espionne dangereuse une aventurière

— Un ange, une muse

— Une journaliste affamée de renseignements, une impitoyable enquêteuse

Les deux jeunes gens abordèrent le carrefour illuminé du Belvédère en riant sincèrement Comme ils prenaient le tournant de l'avenue Mohamed V, une voiture noire les doubla, obligeant le jeune diplomate à une manœuvre périlleuse

— L'imbécile! s'exclama t-il

— Il a dû passer une soirée inspirante, lui aussi plaisanta Sabine

— Regardez, il ralentit, maintenant! Quel crétin!

La voiture noire, en effet, sagement rabattue sur la droite, laissait le passage C'était une Mercédès du corps diplomatique

— Mais c'est Julien de Croiseau! Qu'est-ce qui lui

prend? Il était encore avec Emma lorsque nous avons quitté l'ambassade

— Il n'habite pas la résidence pendant son séjour?

— Non Il avait retenu une suite au Hilton Un homme bizarre, décidément Mais il fait un travail remarquable A Beyrouth, ce n'est pourtant pas facile Des nerfs d'acier!

— A moins qu'il n'aime particulièrement les catastrophes et les dangers, dit Sabine avec une apparente insouciance Attention!

A nouveau la Mercédès avait frôlé leur aile gauche

— Il est ivre, peut-être?

— Ivre d'Emma, lança Sabine pour lutter contre la peur qui montait en elle : Julien pouvait être si violent!

— Et il ralentit encore! S'il compte sur moi pour faire une course au clair de lune, il se trompe Je lui dirai deux mots demain

— Il aura oublié!

— Je lui rafraîchirai la mémoire

Elle regarda son compagnon avec amusement Blond, juvénile, avec un visage fin aux traits réguliers, ce devait être un gendre convoité par toutes les bonnes familles Plaisait-il aux mères ou aux filles?

« Plutôt aux mères », conclut-elle tandis que la voiture stoppait sous le porche du Hilton et que la Mercédès, juste derrière eux, faisait crisser ses freins puissants.

La main de Sabine était dans celle de l'attaché de presse Il y déposa un baiser fervent.

— A demain, dit-elle.

— Je le sais bien. Vous verrez l'ambassadeur à dix heures trente.

— Aussi dois-je me sauver très vite.

En fait, elle n'était pas rassurée par les différentes manœuvres de Julien. Elle craignait une réaction violente, dont le jeune diplomate ferait les frais. Que ferait-il lorsqu'elle quitterait la voiture? Exigerait-il une explication à sa conduite? Pourquoi les avoir suivis avec cette impétuosité? Il pouvait aussi vouloir se venger

— Je me sauve Bonsoir Ne faites pas cette tête Nous avons passé une si bonne soirée!

Et Sabine Rivière déposa un baiser sur la joue du gendre idéal, puis, sans attendre qu'il lui ouvre la portière, s'élança hors de la voiture qui démarra aussitôt La Mercédès barra alors la route à la jeune femme, qui n'avait pourtant que quelques mètres à franchir pour atteindre le hall illuminé.

Rageusement, elle contourna le capot étincelant, passa devant les phares. Une main de fer la retint par le bras Julien était descendu

— Je ne vous veux pas dans mon sillage! Partez dès demain! Votre amant n'aura aucun mal à vous remplacer pour couvrir ce reportage, j'en suis sûr!

— C'est vous qui vous mettez dans mon sillage! Je fais mon métier! répliqua la jeune femme, blanche de colère et d'humiliation D'autre part, j'ai beaucoup d'admiration pour Jean Duvivier et je ne vous permets pas.

— Il faut bien qu'il soit votre amant! Votre formation, ma chère, était fort incomplète, et l'on ne vous avait pas élevée pour servir d'appât aux diplomates en mal de nouvelles!

— Laissez-moi.

— Vous oubliez que j'ai sur vous quelques droits!

— Des droits que vous ne vous êtes pas empressé de faire valoir!

— Pourquoi l'aurais-je fait? Vous paraissiez souhaiter la solitude

— C'est vrai. Maintenant, je dois rentrer Si vous me retenez encore, j'appelle!

— Vous n'avez qu'à attendre le retour de votre

chauffeur, ce charmant garçon est sans doute la victime du jour Il sera allé garer, tout heureux d'avoir été choisi pour la nuit!

Il l'avait lâchée Sur son bras, elle sentait encore le poids de la main grande et ferme Ils se toisaient sous le porche Julien avait son visage des mauvais jours, brutal, méchant, avec la double ride verticale entre les sourcils épais. Sabine, cependant, demeurait immobile, muette, fascinée par les yeux, par la présence rayonnante qui retentissait en elle comme un appel

— Eh bien, partez! Duvivier doit vous attendre près du téléphone! Félicitez-le de ma part Vous êtes très épanouie On n'a cessé de vous le dire pendant cette soirée Duvivier doit être très doué Je ne le connaissais pas sous cet angle intéressant

— Et puisque vous allez retrouver Emma, riposta Sabine d'une voix sèche, dites-lui combien je la plains d'être tombée dans vos filets!

Elle courut vers le hall, saisit la clé qu'on lui tendait et se retrouva dans le grand ascenseur dont les glaces lui renvoyaient son image Elle constata avec dépit qu'elle était pâle et défaite Elle tremblait Julien n'avait-il donc pas cessé de la faire souffrir? Pis encore, elle constatait avec humiliation qu'elle subissait toujours l'attirance qui l'avait autrefois éblouie Mais puisqu'elle l'avait perdu par sa faute, ne fallait-il pas poursuivre, affronter jusqu'au bout, et seule, les exigences de son destin?

Une fois chez elle, Sabine rangea soigneusement la robe, les escarpins, et passa dans la salle de bains, revêtue d'un slip rose.

« L'attaché de presse serait surpris de me voir arriver ainsi à l'ambassade demain matin, songea-t-elle pour lutter contre le découragement et tenter de retrouver son humour. Allons, je ne suis pas encore tellement à plaindre! »

La douche tiède, la mousse odorante proposée par l'hôtel achevèrent de lui rendre sa combativité Un quart d'heure plus tard, installée dans son lit, Sabine Rivière rédigeait son article, le bloc-notes soutenu par une planchette de bois verni qu'elle emportait partout Lorsqu'elle eut achevé les six feuillets promis à Jean Duvivier, elle dicta posément La standardiste du journal, après avoir pris le texte en sténo, annonça :

— M. Duvivier vous demande d'appeler demain très tôt. Il est sorti ce soir.

— Je le ferai, mademoiselle Merci et bonsoir!

— Oh! moi, vous savez, répondit une voix désabusée, je ne pourrai dormir avant plusieurs heures

Sabine déposa le combiné en souriant et décida d'éteindre aussitôt Dans l'obscurité, elle demeura un long moment à réfléchir au rendez-vous fixé par Leila Choukri, l'assistante sociale de l'hôpital Charles Nicolles Cette femme qu'elle ne connaissait pas encore, mais qui détenait une partie de la solution à ses problèmes, la recevrait le lendemain à trois heures trente

Avant de sombrer dans le sommeil, elle eut une pensée pour le vieux monsieur en pardessus gris qui avait sonné à sa porte, deux ans plus tôt, en fin d'après-midi Un charmant vieillard aux rides souriantes, au regard bleu et limpide Il avait précipité Sabine dans la détresse en quelques phrases Ce « messager du destin », comme elle l'appelait désormais, n'avait pas agi par cruauté, Pourtant, l'écrasante nouvelle rendait soudain tout bonheur impossible

Et maintenant, c'était pire encore Depuis qu'elle l'avait revu, elle savait qu'elle avait définitivement perdu Julien Quelle folie d'avoir espéré le retrouver après l'orage! Il l'avait chassée de sa vie dans un sursaut de ce terrible orgueil qui le guidait Pourtant, malgré ces évidences, il avait suffi qu'il apparaisse pour que renaissent les magiques correspondances, le désir, la passion

Une puissante fatigue la terrassa tandis qu'elle tentait pour la millième fois de chasser l'image troublante du chasseur

2

Une douce lumière animait le paysage de collines et de verdure que Sabine apercevait du balcon. Le soleil avait dissipé les brumes et la jeune journaliste, déjà habillée et coiffée, prenait son petit déjeuner

Au réveil, le souvenir de sa rencontre avec Julien l'avait remplie d'amertume et de tristesse, mais elle avait réagi. Il lui fallait continuer à lutter si elle voulait avoir le courage d'aller jusqu'au bout dans ses recherches. Grâce à ce reportage, elle allait avoir l'occasion de savoir une fois pour toutes si elle pourrait ou non revenir un jour dans la maison de son mari.

Cette nécessité l'avait aidée à refouler ses larmes, à chasser les regrets persistants. Julien, favorisé par une brillante carrière, sa fortune, sa famille, ne lui faisait pas pitié. Elle n'avait eu, elle-même, aucun de ces avantages depuis la mort de ses parents, dix ans auparavant. Elevée par une cousine éloignée, elle avait mené la vie modeste et souvent humiliante de la jeune parente recueillie par charité. Au moment de son mariage avec Julien, elle avait cru, naïvement, que le sort avait tourné en sa faveur.

— Un Croiseau ! Le fils du marquis ! s'était exclamée la cousine Mathilde... Ils sont très riches !

— Nous nous aimons, avait affirmé fièrement Sabine.

— Peu importe, ma petite. C'est une chance inespérée. Même si tu ne l'aimais pas...

— Notre famille est aussi honorable que la leur, avait protesté Sabine, nous n'avons rien à leur envier!

— Nous avons peut-être les quartiers de noblesse, mais ils ont l'argent en plus, voilà la différence, avait décrété Mathilde. Et il t'accepte sans dot!

Le père de Julien, veuf depuis quelques années, avait été heureux d'accueillir Sabine, en effet. Il semblait que, pour lui, l'argent eût beaucoup moins d'importance que pour la cousine Mathilde.

Pourtant elle avait brisé ces liens, trahi l'accueil paternel du marquis, quitté Julien. La « chance inespérée » avait tourné court.

Pour échapper à ces pensées négatives, Sabine vérifia sa tenue devant la glace, puis, ses cheveux soigneusement brossés et bouclés, son tailleur de flanelle beige bien en place, elle prit son sac et quitta la chambre. Neuf heures trente. Elle serait exacte à son premier rendez-vous de la journée, à l'ambassade de France.

Le taxi traversa les quartiers résidentiels, prit l'avenue de la Liberté, poursuivit sa course jusqu'au *Passage* dans les embouteillages pittoresques créés par les autobus, les charrettes à bras, les voitures luxueuses, les tacots périmés et, surtout, les piétons imprévisibles, qu'aucune discipline n'avait pu dompter et qui risquaient leur vie tous les dix mètres, salués par des coups de klaxon, des protestations et des injures virulentes. Emue de retrouver l'atmosphère méditerranéenne, les visages et l'agitation si caractéristique de la ville, Sabine notait aussi les aménagements, les rues élargies, les immeubles neufs. C'était une autre ville, et aussi la même, bruyante, vivante, traversée d'odeurs de grillades, d'encens et de menthe. Petite fille heureuse, elle avait circulé dans ces avenues, levé la tête vers les grands arbres de l'artère centrale

Déjà le taxi, dangereusement garé en troisième position, stoppait près de l'ambassade.

Des cars de police stationnaient à cet endroit.

Sabine suivit une secrétaire dans les couloirs feutrés.

— Il y a des cars de police à tous les carrefours, remarqua-t-elle.

— Oh! oui, dit la secrétaire en se retournant, l'œil malicieux; nous sommes bien gardés depuis trois jours. On dit que le président libyen veut se manifester...

— Il n'est pas Alexandre, plaisanta Sabine, mais il doit tout de même s'identifier un peu à un conquérant...

— De là à envahir la Tunisie! Ce sont des idées de diplomates, décréta la jeune femme en s'effaçant pour laisser passer Sabine dans une vaste salle d'attente. Je vais prévenir l'ambassadeur, il est avec M. de Croiseau...

C'était dit sur un ton respectueux. Sabine aussitôt retrouva sa tristesse, son trouble aussi, à l'idée que si peu d'espace la séparait de Julien.

Elle n'était pas assise depuis trois minutes, que l'ambassadeur et Julien apparaissaient sur le seuil d'un immense bureau.

— Désolé si je vous ai fait attendre, dit l'ambassadeur en s'avançant vers la jeune femme.

— Avez-vous bien dormi? lança Julien sans lui tendre la main.

— Merveilleusement, fit-elle, bien résolue à lui tenir tête avec assurance Nous sommes d'ailleurs si bien gardés! Il y a des cars de police à tous les carefours de la ville.

— Les nouvelles ne sont pas rassurantes, ajouta l'ambassadeur Les Tunisiens massent des troupes à la frontière libyenne Quelque chose se prépare, sans doute, mais comment en être certain?

— Il faut y aller, affirma Sabine calmement

— C'est ce que me disait tout à l'heure M de Croiseau

— En descendant par Gabès, on peut être à la frontière en quelques heures, ajouta la journaliste d'un ton décidé Je compte louer une voiture

— Avec un chauffeur? Vous ne partirez pas seule, tout de même? s'exclama l'ambassadeur

— Les routes sont excellentes, riposta Sabine en souriant Je connais bien le pays.

— Voyons, cher, vous vous inquiéteriez à tort Ne voyez-vous pas que Sabine Rivière est une amazone? Elle ne recule certainement devant aucun risque, peut-être même lui arrive-t-il de les provoquer, plaisanta Julien

— Si des événements se produisent? insista l'ambassadeur

— Je crois qu'il faut savoir assumer les risques du métier que l'on a choisi, n'est-ce pas, mademoiselle? renchérit Julien

— Je vois que nous sommes au moins d'accord sur un point, répondit Sabine en affrontant le regard de son interlocuteur Chacun a sa manière d'agir Les diplomates dans les ministères, et les journalistes sur le théâtre des opérations.

— Expression pompeuse et très excessive, laissa tomber Croiseau avec insolence Prenez garde à la tentation de fabriquer l'événement Pour l'instant il ne s'est rien passé.

L'ambassadeur, visiblement surpris par l'agressivité qui animait les échanges de ses compagnons, semblait avoir pris le parti de tenter une diversion

— Je vous laisse attendre debout, mademoiselle nous pourrions passer dans mon bureau

— Et moi, je vais vous laisser travailler, ajouta Julien en riant. J'espère, mademoiselle, que nos trajets en Tunisie ne nous contraindront pas à nous croiser trop souvent Je ne voudrais pas vous paraître importun Vous serez à Gabès dès demain, je suppose?

— Je l'espère, dit la jeune femme, et sa voix se brisa tandis qu'elle regardait s'éloigner vers le hall d'entrée la silhouette souple et musclée

Mais il fallait courageusement sourire à l'ambassadeur, entrer dans son bureau, poursuivre avec lui une conversation sérieuse, se montrer compétente et aimable Tout en parlant, quelque chose en elle accompagnait encore Julien, souffrait brutalement de son départ. Il n'avait pas tenté d'avoir avec elle la moindre explication Sans doute s'était-il forgé un jugement définitif, résolument négatif A sa vue, son mépris pour elle n'avait à aucun moment chancelé.

En même temps qu'elle ressentait ces angoisses, elle regrettait amèrement qu'au moment même où son métier lui demandait la plus grande vigilance, elle se découvre vide, épuisée par une passion inutile et ce désir fou de courir derrière Julien, de pleurer sur son épaule, de tout lui dire

— Et le gouvernement tunisien ne dramatise pas pour l'instant

Elle sursauta L'ambassadeur, assis en face d'elle, développait les éléments de la situation Il fallait être attentive

— Il faut quand même se méfier aussi de cette attitude Lorsqu'on redoute une épreuve, il arrive que l'on choisisse de croire qu'elle ne peut se produire, remarqua t-elle

Voilà qu'elle s'était reprise! Son orgueil, sa fierté avaient pris le dessus. Julien s'était éloigné, peut-être ne le reverrait-elle plus jamais, et pourtant elle s'était mise à parler avec aisance face à l'ambassadeur intéressé, souriant et, sans doute aussi, charmé Comme c'était facile d'être une autre, lorsque Julien de Croiseau n'était pas présent! Mais alors, cette vie grise et morose continuerait de se dérouler, sans couleur et sans émotion, comme elle la subissait depuis deux ans.

A moins que le rendez-vous de l'après-midi avec l'assistante sociale n'apporte autre chose que la réponse redoutée?

— Ma chère enfant, disait l'ambassadeur sur un ton paternel, je vous avoue que j'aurais préféré vous savoir accompagnée dans cette expédition. .

— Vous venez de dire que le gouvernement n'est pas inquiet, que le Premier ministre lui-même

— Hélas, il m'arrive de douter de la lucidité du Premier ministre, je vous l'avoue, soupira le diplomate, abandonnant la réserve de commande qu'il avait adoptée jusque-là Vous connaissez bien ce pays.

— Alors, raison de plus, dit Sabine en se levant Nous aurons du travail, ces prochains jours, et je tiens à mériter la confiance de mon directeur

Prenant congé de l'ambassadeur, elle retrouva, dans le salon, le jeune attaché de presse qui l'avait accompagnée la veille jusqu'au Hilton Il s'avança vers elle avec une mine si charmée qu'elle en fut amusée Elle le mit au courant de ses intentions de rejoindre le Sud

— Et si nous descendions ensemble? proposa t-il Je dois me rendre moi-même à Gabès dans la journée de demain

— Je ne traverserai pas un pays bombarbé, voyons! Nous nous verrons là bas.

— Au moins, pourrions-nous déjeuner ensemble tout à l'heure? soupira-t-il, visiblement déçu

— Volontiers, affirma Sabine, mais je dois d'abord aller voir un ami

— Un informateur?

— Oui. Je ferai un tour dans les souks par la même occasion.

— Est-ce que par hasard vous vous rendriez chez Ferid

— Chut! La police surveille sa maison Il faudra que je prenne certaine précaution pour ne pas lui nuire

— Mais vous serez suivie en sortant d'ici.

— Peut-être pas, puisque je serai blonde!

Et ouvrant son sac, Sabine en sortit une épaisse perruque platine qu'elle coiffa sans façon sous les yeux stupéfaits du jeune diplomate

— Les policiers ne me reconnaîtront pas, expliqua-t-elle en riant Ils continueront à attendre Sabine Rivière à la porte de l'ambassade Je serai déjà dans la medina!

— Vous. vous êtes si troublante, balbutia le jeune homme, qui décidément n'avait pas renoncé à lui faire des compliments.

Blonde et voyante, elle s'éloigna et, méconnaissable sous ses cheveux flottants, retrouva avec soulagement la rue grouillante et les arbres de l'avenue Bourguiba

Elle remonta lentement à travers les souks. Des bouffées de parfums familiers l'assaillirent Elle songea une fois encore à l'énigme qu'avait soulevée l'arrivée chez elle du vieux monsieur si aimable, deux ans auparavant Se trouvait-elle ici en pays étranger ou, au contraire, dans la patrie de ses ancêtres? Toute la question était là Question plus brûlante que tous les problèmes politiques dont elle devrait tenir compte pendant son séjour

En présence du jeune opposant qu'elle était allée voir, Sabine, une fois encore, fut une journaliste exemplaire Elle reçut avec un sourire reconnaissant les renseignements précieux qu'on lui donnait, puis elle quitta son hôte, non sans avoir savouré avec lui un délicieux verre de ce thé à la menthe, vert et parfumé, qui accompagne si bien les pâtisseries. Prenant congé, elle redescendit par les ruelles étroites, encombrées de va-et-vient incessants.

Comme elle allait rejoindre le souk du cuivre, la blonde journaliste pâlit : Julien avançait dans sa direction, marchant lentement, la tête un peu penchée. Il semblait compter ses pas, tant il avait l'air préoccupé. L'arrogance et l'ironie avaient déserté ses traits. Le double pli barrait son front...

Lorsqu'il arriva près d'elle, Sabine, sentant ses jambes se dérober sous elle, s'appuya contre une porte de bois, ornée de clous de cuivre Elle faillit poser la main sur le bras si proche Il la dépassa sans reconnaître cette blonde touriste et se dirigea vers la ruelle qu'elle venait de quitter Allait-il lui aussi chez Ferid?

« Eh bien, ce n'est pas une coïncidence magique, se dit-elle Cela prouve simplement que nous savons tous deux à qui nous adresser pour obtenir des renseignements valables! »

Elle demeura appuyée contre la porte, dont le heurtoir meurtrissait son dos. Les battements de son cœur, plus impérieux que sa raison, communiquaient à tout son être un malaise bien connu Le corps de Julien, dessiné par le complet de tweed brun, était encore pour elle un redoutable appel.

Machinalement elle sourit à l'enfant qui, la voyant arrêtée, venait lui proposer son aide pour revenir dans la ville européenne.

L'insistance du gamin l'obligea à reprendre ses esprits.

— Merci Je connais bien le chemin

— Où vas-tu?

— Au Hilton Je prendrai un taxi

— Alors je vais t'en arrêter un, fit l'enfant, souriant avec cette grâce antique des petits Méditerranéens.

Elle le suivit à travers la rue de l'Eglise Il marchait en dansant, sa petite silhouette mince et gracieuse surmontée de boucles noires au reflet bleuté. Les mêmes boucles, en somme, que celles de Sabine

Soudain, l'enfant se retourna et annonça d'un air candide

— Nous allons avoir les Libyens à Tunis. Des soldats. Ils ont des uniformes.

— Qui t'a dit cela? demanda Sabine intriguée

— Mon père C'est le marchand de parfum Il est parti au village depuis deux jours pour les attendre

— Quel village?

— Nous habitons à Tozeur Moi aussi, j'y vais quelquefois. Mon père a dit qu'il reviendra avec eux.

Tozeur, c'était l'oasis, à quelques kilomètres de la frontière algérienne Les Libyens ne rentreraient pas par là, mais du côté opposé!

Déjà, ils étaient arrivés sur l'esplanade ensoleillée devant la Porte de France Un taxi passa, ralentit au premier signe de l'enfant Celui-ci courut pour ouvrir la portière à Sabine.

Sabine, songeuse, s'installa dans la voiture On pouvait conclure que des rumeurs persistantes voyageaient dans le pays, à propos d'une éventuelle opération libyenne. Un premier article pour Duvivier!

Lorsqu'elle parvint à l'hôtel, l'attaché de presse l'attendait dans le hall. Il tenait en main le journal, arrivé en fin de matinée, où se trouvait un premier article de la journaliste.

— Je ne peux plus me passer de vous, dit-il. Lorsque vous êtes absente, je vous lis. Excellent papier

— Je l'avais dicté avant mon départ, mais il me semble que mon directeur l'a considérablement coupé

— Il a sûrement eu tort, affirma le jeune homme, passerons-nous à table?

— Tenez-vous à vous asseoir en face d'une blonde platinée?

— Non, pas vraiment

— Alors, je monte un instant dans ma chambre Essayez tout de même de me reconnaître lorsque je redescendrai!

Une fois chez elle, elle enleva d'un mouvement vif sa perruque et la déposa dans son armoire, puis elle passa soigneusement un peigne dans ses boucles noires un peu écrasées par le postiche Bientôt les cheveux, épais, brillants, retrouvèrent leur volume, Sabine songea au petit Tunisien qui l'avait précédée dans les souks. sa mère devait avoir les mêmes cheveux

Haussant les épaules, elle se hâta de rejoindre son compagnon Il fallait chasser de son esprit les interrogations inutiles auxquelles elle pourrait peut-être répondre lorsqu'elle aurait rencontré l'assistante sociale...

— Ainsi, vous êtes sortie des souks saine et sauve, malgré votre agressive blondeur?

— Avouez que vous me faisiez confiance!

— En effet. Je vous soupçonne même de mépriser le sexe fort avec une détermination redoutable Je vous voyais si féminine, pourtant, si douce en apparence, avec toute cette langueur orientale qui ajoute au mystère de votre regard...

Il venait d'apporter d'une certaine manière une réponse aux interrogations de la jeune femme La langueur orientale. On la prenait souvent pour une Orientale, justement.

— Ai-je dit quelque chose qui puisse vous blesser?

— Oh non! répliqua-t-elle vivement Mais je suis un peu étourdie par ce périple dans les souks et par mes retrouvailles avec la Tunisie

En réalité, la bonne humeur et les attentions de l'attaché de presse apaisaient la jeune femme Il était un interlocuteur agréable et lui permettait de se détendre avant d'affronter l'entretien qu'elle redoutait celui qu'elle aurait à l'hôpital Charles Nicolle, moins de deux heures plus tard Tout en laissant son compagnon plaisanter sur la situation, sur les habitudes, les ruses et les protocoles de l'ambassade, Sabine rêvait au mystère dont elle soulèverait pour la première fois le voile en cet après-midi ensoleillé Jusque-là, elle avait différé ce moment. Par peur Par prudence, aussi, vis-à-vis d'un problème qui risquait de trouver une solution décevante

« Pauvre garçon, si appliqué à me distraire, songeait-elle, s'il savait quelles incertitudes cache mon apparente assurance! »

Lorsqu'ils se quittèrent et qu'elle retrouva sa chambre afin de se préparer pour son rendez-vous, Sabine avait pâli, ses traits s'étaient durcis. Une sorte de panique anesthésiait sa pensée Même Julien, si douloureusement présent en elle jusque-là, ne la torturait plus Elle avait désormais son destin comme adversaire

Leila Choukri était une femme d'âge mûr Elle reçut Sabine dans le bureau aux murs laqués, au mobilier rudimentaire, qu'elle occupait dans l'un des bâtiments de l'hôpital.

— Je voulais consacrer un séjour à ces recherches, expliqua Sabine, mais puisque mon travail me ramenait ici avant la date prévue, je n'ai pas résisté

— Malheureusement je ne peux encore rien vous dire de précis, répliqua l'assistante sociale en saisissant sur son bureau un dossier mince, recouvert d'une chemise de carton vert En quatre jours, je n'ai pu réunir des informations suffisantes, évidemment

— Evidemment, répéta Sabine, inexplicablement soulagée Et vous n'avez pas eu confirmation

— Je peux seulement vous assurer qu'à la date que vous m'avez transmise, aucune enfant née dans les hôpitaux de Tunis ne correspondait à ce cas Il nous faudra chercher ailleurs.

« Le cas » C'était après tout le mot exact Pour l'instant, la douloureuse interrogation qu'elle portait en elle depuis deux ans se résumait au « cas »

— Vous êtes sans doute déçue, reprit Leila Choukri avec un sourire bienveillant qui transfigura son visage un peu alourdi par l'âge et l'embonpoint Mais nous avons à peine commencé nos recherches

— Je suis ici pour plusieurs jours. Il faut cependant que je m'absente de Tunis dès demain

— Les Libyens? demanda-t-elle avec malice

— Comment le savez-vous?

— Tous les Tunisiens lisent votre journal, mademoiselle! Je tenais à vous dire que votre reportage sur la femme musulmane nous avait beaucoup intéressés.

— J'en suis flattée, répondit Sabine en arabe

— Vous pensez bien que je ferai tout pour vous aider, dit l'autre, ravie de pouvoir s'entretenir dans sa langue maternelle avec une représentante de la presse française

— Alors, je vous reverrai dès mon retour à Tunis?

— Si j'ai vos coordonnées là-bas, je pourrai même vous appeler Je voudrais aussi préciser que, mon métier m'obligeant à une discrétion aussi scrupuleuse que la vôtre, je ne révélerais pas.

Sobrement, Leila Choukri avait ainsi manifesté sa sympathie Sabine s'était soudain sentie comprise et presque rassurée

— Ne m'en dites pas plus ajouta l assistante sociale

— Je serai demain à l'hôtel de l'Oasis à Gabès

— A Gabès? demanda Leila Choukri avec surprise

— Je descendrai à la frontière dans la journée du lendemain

— Rien de fâcheux ne peut naître d'une révolution nécessaire, décréta l'assistante sociale sur un ton sans réplique Et une étincelle de gaieté passa dans ses yeux bruns

Les deux femmes s'étaient tues Avec affection Leila Choukri prit Sabine par les épaules et dit simplement

— J'espère que les renseignements que nous obtiendrons vous apporteront le bonheur et la paix Au revoir, Sabine

Emue aux larmes, la jeune journaliste serra la main de sa nouvelle amie et s'enfuit à travers les longs couloirs Elle croisa des malades, des familles en visite Sur les visages amaigris ou soucieux de ces hommes et de ces femmes, se lisait parfois une tragique résignation

Il était temps de se rendre à l'agence française de presse pour rencontrer ses confrères

Les taxis, heureusement, sillonnaient la ville et, à cette heure, il n'y avait pas d'affluence aux stations En quelques minutes, quittant les boulevards extérieurs, Sabine retrouva l'ambiance si caractéristique du centre ville

Lorsqu'elle aborda l'immeuble de l'agence France-Presse, l'ascenseur montait avec sa cargaison de passagers Sans impatience, elle attendit son retour Comme elle levait les yeux vers la cage pour surveiller les mouvements du monstre, une voix amusée l'interpella :

— Je suis vraiment navré! Nous allons devoir

prendre ensemble ce moyen de locomotion bien peu poétique, à moins que vous ne choisissiez de gravir allègrement les cinq étages?

Sabine se retourna, saisie. Elle avait déjà reconnu la voix de Julien.

— Si vous êtes trop contrarié par cette circonstance, attendez que je vous le renvoie!

— Je t'en prie, riposta Julien, cesse de donner le change! Tu le fais si mal!

En même temps, il l'avait prise aux épaules et la maintenait à distance, sans qu'elle pût protester, tant était grand son trouble.

— Je ne comprends... balbutia-t-elle.

— Sabine Rivière! Tu t'es donné un nom de bataille, en somme! C'est Duvivier qui a eu cette idée?

— Qu'importe, répondit Sabine en secouant ses boucles comme une enfant grondée. De toute façon, il n'est pas au courant!

— Je te regardais hier. Tu es une fameuse proie pour un séducteur comme lui! Tant que l'on ne te connaît pas, tu peux tromper le plus méfiant! Allez! Monte!

L'ascenseur s'ouvrait devant eux. Julien y poussa Sabine et, du même mouvement, se pencha pour un baiser brutal. Elle tenta de se débattre. L'ascenseur montait lentement. Il la serra plus fort contre lui et, l'espace d'une seconde, elle céda malgré elle au désir. Ses mains se posèrent sur les poignets de Julien. Mais déjà il se rejetait en arrière avec un rire mauvais.

— Aucune résistance, n'est-ce pas? Tu n'as même pas un réflexe d'orgueil! Comme tu m'as bien trompé!

L'ascenseur stoppa à l'étage, ouvrant ses portes d'acier devant le couple déchiré.

Sabine, réprimant un sanglot, s'élança, passa

devant Julien et courut vers la porte de l'agence Derrière elle, Croiseau ricanait toujours, plein de haine et de mépris :

— Je suppose que ce goût passionné des hommes t'a bien aidée dans ton travail ! Et sans doute avec la permission de Duvivier Il doit être prêt à tout pour valoriser son journal et obtenir une information supplémentaire

Alors, soudain, Sabine fut à bout C'était trop injuste, trop affreux ! Apercevant l'escalier de secours, elle se mit à descendre à toute allure, faisant claquer ses talons sur chaque marche, manquant de trébucher dans sa précipitation La distance misérable qu'elle établissait ainsi entre Julien et elle, entre le corps de son mari et son propre trouble, la calma peu à peu Un film défilait dans sa mémoire tandis qu'elle fuyait ainsi, malheureuse, humiliée, mais, plus encore, ravagée par les souvenirs heureux

Pourquoi avait-il fait cela ?

En fait, elle le savait bien et c'était une des raisons les plus profondes de son désespoir Elle seule était responsable de la haine que Julien éprouvait pour elle Quel instinct l'avait poussée une fois encore à fuir, à renoncer avant de s'expliquer ?

Mais non, elle ne pouvait plus paraître devant lui, après la visite du « messager », elle ne pouvait même plus lui sourire, être elle-même .

Et d'ailleurs, qui était-elle ?

Dans la voiture qui la ramenait au Hilton, elle ne vit pas les rues dans lesquelles les cars de police prenaient fermement position, mais une autre ville, riante et paisible, sur laquelle dansait un soleil éclatant Elle jouait à la marelle, alors, et tout le monde aimait la jolie petite fille des Puymorens Sabine de Puymorens . Les bulletins scolaires, la première carte d'identité L'acte de mariage « Sabine de Puymorens, voulez-vous prendre pour époux Julien de Croiseau, ici présent? »

Cachée au fond de son taxi, Sabine laissait couler ses larmes... Les maisons et les arbres se brouillaient dans les vitres de la voiture, comme s'étaient brouillés les souvenirs d'enfance, les images d'un bonheur si récent, et tant d'amour. Oui, tout cela avait brusquement sombré lorsque le vieux monsieur en pardessus gris avait demandé :

— Les Puymorens? Je suis un vieil ami... Le docteur Verrière. Je reviens du Sahara pour quelques mois... Je vis au désert...

— Les Puymorens sont morts dans un terrible accident de voiture il y a huit ans, avait alors répondu Sabine en faisant entrer le visiteur dans la maison de ses parents, qu'elle occupait avec Julien pour quelques jours, avant leur départ pour Beyrouth.

— Quoi! Tous les deux? Ils sont morts tous les deux?

Sabine s'était laissée glisser dans un fauteuil en face du pauvre vieil homme tout bouleversé par la nouvelle, mais lorsqu'il s'était remis à parler, l'épouvantable cauchemar avait commencé : au fur et à mesure qu'il évoquait ses souvenirs, Sabine, si heureuse jusque-là, s'éloignait de sa propre vie, perdait son enfance, sa famille, ses ancêtres dont on lui avait appris à vénérer la mémoire... Elle perdait son identité, si bien que son avenir aussi basculait et l'amour même perdait sa substance.

Le grand bouquet de roses apporté par le visiteur était resté couché dans son papier sur la table basse...

Dès qu'elle s'était retrouvée seule, Sabine de Croiseau avait préparé une petite valise et quitté la maison, laissant à son mari un court message :

« Pardon, Julien. Je t'ai trompé sans le vouloir. Je dois partir pour me retrouver. »

Elle n'avait pas osé ajouter : « Je t'aime. » Il lui fallait d'abord apprendre la vérité, savoir si elle avait encore le droit d'aimer Julien de Croiseau, unique héritier d'une famille sans tache.

— Un chagrin d'amour, mademoiselle?

Le chauffeur du taxi lui souriait dans le rétroviseur

— C'est presque ça, avoua Sabine

— Ça ne dure jamais, vous savez, affirma-t-il, péremptoire Au bout de trois mois, six au maximum, on est guéri

— Sans doute

3

— Allô ! Ne quittez pas ! On vous appelle de Paris.

— Allô, mademoiselle Rivière ?

— Oui, monsieur Duvivier J'ai dicté mon papier

— Je le sais bien ! Ce n'est pas pour cela que je vous appelle, mais pour vous signaler la présence à Tunis de Julien de Croiseau

— En effet. Il était à la soirée à l'ambassade, avant-hier

— Il peut vous apprendre une foule de choses. Il est en poste à Beyrouth depuis deux ans, mais connaît tout le Moyen-Orient Il ne refusera certainement pas de vous aider. .

— Mais.. Il l'a déjà fait, affirma Sabine

Comment aurait-elle pu expliquer à son patron, qui ignorait tout de son passé, son impossibilité d'utiliser cet « interlocuteur valable ? » Elle ajouta, d'une manière évasive :

— Il pense que les rumeurs sont fondées. D'ailleurs, lui aussi se rendra demain à Gabès.

— Je vous fais confiance. Ici aussi, nos informateurs sont formels. Et à part ça ? Contente de retrouver le pays ?

— Oh oui, d'autant plus que...

Elle s'arrêta, un peu embarrassée.

— D'autant plus que... ? demanda Duvivier. Allô ? Ne coupez pas !

— Non, monsieur, je voulais dire : d'autant plus que les amandiers sont en fleur...

— Une excellente nouvelle, ma chère ! Elle fera la une de notre prochaine édition !

Il avait raccroché Elle déposa le combiné. Au même moment, on sonna à nouveau Elle reprit le récepteur :

— Vous attendiez donc quelqu'un pour décrocher si vite ? dit la voix joyeuse de l'attaché de presse Ou alors, vous m'avez pris pour un autre Dans ce cas, pardon pour la déception !

— Mais non. Je viens d'avoir le journal. Je vais prendre mon café après une nuit de sommeil, voilà tout !

— Et vous avez décidé de descendre avec moi à Gabès ?

— Non.

— Robert ! Je m'appelle Robert

— Eh bien, non, Robert ! Je vais avoir ma voiture

— Très bien Vous êtes une féroce journaliste, une de ces femmes fortes qui mènent les hommes à leur perte

— Ne me flattez pas, riposta Sabine, réconfortée par la voix amicale. Nous conduirons séparément notre enquête, mais cela nous facilitera aussi la tâche.

— J'en conviens, puisque vous insistez. Etes-vous encore libre à déjeuner ?

— Non. Je dois voir une amie tunisienne, s'entendit-elle répondre. Nous avons pris rendez-vous.

— Alors, je vous laisse. Bien à regret.

— Je vous promets de vous passer un coup de fil avant de quitter Tunis !

Elle raccrocha. Elle regarda sa montre. Leila Choukri était certainement à l'hôpital. C'était à elle qu'elle avait inconsciemment pensé. Les deux femmes avaient décidé de se retrouver pour prendre ensemble un déjeuner rapide. Avant de raccrocher, Leila avait ajouté :

— L'hôpital de Gafsa m'a contactée il y a moins d'une heure Trois petites filles sont nées cette nuit-là, et je crois bien ..

Le cœur de Sabine battait la chamade Allait-elle enfin savoir? Et qu'apprendrait-elle? Comment accepterait-elle la vérité? Quelle vérité? Julien...

— Je vous retrouve où?

— Je vis avec mes parents. Ils habitent au Belvédère. Il faut accepter de déjeuner chez nous. Ma mère est une merveilleuse cuisinière.

— Couscous ou *meloukhia?* interrogea gaiement Sabine, qu'un étrange soulagement traversait.

— Non, *ganaouia!*

— Je n'osais l'espérer! Bien mijotée, sans doute, avec une sauce à la fois épaisse et transparente .

— Je crois pouvoir vous le promettre!

Autrefois la cuisinière des Puymorens apportait sur la table ce délicieux ragoût aux gombots. Longuement mijotés sur un feu de charbon, les petits légumes fondaient en une sauce parfumée, relevée d'épices.

Assise sur le bord du lit, près du téléphone, Sabine Rivière, envoyée spéciale d'un quotidien sérieux, fondit brusquement en larmes à l'évocation des parfums exhalés par un ragoût exotique... Il y avait de quoi rire... Mais elle pleurait, elle pleurait d'angoisse, d'appréhension, de désespoir. Elle pleurait à la fois Julien et son enfance heureuse, sa solitude revenue, l'amour perdu, les hasards cruels qui s'étaient acharnés sur sa naissance.

Il lui fallut une heure pour réagir. L'image paisible de Leila Choukri, si bienveillante, si compréhensive, l'aida à retrouver son sang-froid. Il fallait faire honneur à ses hôtes, maquiller soigneusement un visage souriant.

Il fallait aussi se préparer à apprendre la vérité. Si l'hôpital de Gafsa avait retrouvé la trace de la petite fille, devrait-elle se rendre dans cette ville? Son reportage l'entraînait du côté opposé. Il faudrait donc patienter, attendre que la situation politique se dénoue... D'une certaine manière, elle n'était pas fâchée de ce contretemps. Elle avait si peur de la vérité, si peur. .

— On ne connaît pas encore le nom de la mère, dit Leila Choukri en l'accueillant dans un petit jardin d'orangers. Ils vont faire les recherches nécessaires aux archives. Cela peut prendre quelques jours... Soyez la bienvenue.

En suivant Leila jusqu'à la maison, une bouffée de souvenirs heureux la transporta. Le jardin des Puymorens exhalait les mêmes senteurs...

Les parents de Leila étaient sympathiques et gais. Ils n'accueillaient pas « l'envoyée spéciale », mais une amie de leur fille.

La saveur des mets, les délicates épices, les pâtisseries succulentes ramenèrent Sabine à la vie simple, aux joies innocentes. Deux heures passèrent comme un rêve et ce fut Leila qui la raccompagna elle-même à l'hôtel dans sa petite voiture. Sous le porche du Hilton, les deux femmes se séparèrent.

— J'espère que nous aurons bientôt d'autres conversations que cette énigme, dit l'assistante sociale en souriant.

— J'aimerais tant savoir, en effet, soupira Sabine.

— Promettez-moi de revenir en Tunisie, de toute manière... Après tout, il est possible que vous soyez l'une des nôtres?

Elle était peut-être tunisienne, en effet, mais il lui faudrait alors renoncer définitivement à Julien... Chez les Croiseau, on avait accueilli la fille Puymorens... Il lui avait lui-même souvent parlé de ses ancêtres. Il connaissait bien aussi l'histoire de sa belle-famille...

Tête basse, elle entra dans le hall luxueux de l'hôtel.

— Mademoiselle Rivière! Quel plaisir!

Elle se retourna, surprise : George Window, le chargé d'affaires britannique, avançait vers elle.

— Vous prendrez bien un verre avec nous, proposa-t-il en s'inclinant. Je suis avec M. de Croiseau.

Sabine sentit son cœur battre. Une panique s'emparait d'elle, qui la faisait trembler.

— Désolée, monsieur Window, mais je dois me préparer. Je pars pour Gabès. On doit avoir déjà amené ma voiture...

— Quelques minutes..

— Non, vraiment...

En même temps qu'elle se défendait, elle tentait d'apercevoir Julien .. Il devait être caché par un des piliers qui bordaient le jardin d'hiver.

— Eh bien, mademoiselle, bon voyage, mais nous serons déçus.

— Cela m'étonnerait, répliqua-t-elle Je ne pense pas que M de Croiseau aurait apprécié

— Et pourquoi pas? lança derrière elle la voix narquoise de Julien. Vous êtes une personne si décorative, mademoiselle Rivière!

Elle se retourna, fouettée par l'ironie du ton Julien portait un complet sombre qu'elle connaissait bien Ils l'avaient choisi ensemble à Londres, lors d'un court voyage qu'ils avaient fait là-bas quelques mois après leur mariage

Comme une automate, elle se laissa conduire par Window Une grande envie d'effleurer de la main le revers impeccable l'envahissait

« Je deviens folle, je suis fatiguée », songeait-elle, incapable de détacher son regard de la veste, de la chemise de voile bleu autant d'enveloppes évoquant pour elle le corps trop bien connu, jamais oublié.

S'apercevait-il de son trouble? Sans doute, car lui aussi la connaissait et avait acquis autrefois, avec patience et tendresse, les pouvoirs qui restaient les siens pour la posséder sans réserve.

— Vous paraissez mal à l'aise, mademoiselle, remarqua-t-il. Il est vrai que votre travail est si absorbant...

— Il me plaît beaucoup, crâna Sabine qui préférait encore les attaques déguisées de Julien à son silence. Je viens de déjeuner chez des amis tunisiens. Un moment bien agréable.

— Nous ne pourrions pas en dire autant, intervint Window Nous étions chez le Premier ministre Cet homme ennuyeux et suffisant ..

— Attention! Ne révélons pas les secrets qu'il nous a confiés, s'exclama Julien en riant Ils seraient publiés dès demain!

— Le Premier ministre n'a pu vous confier des secrets qu'il ignore lui-même, riposta Sabine Il est toujours le dernier informé! M Duvivier m'a recommandé de l'éviter.

— Si Jean Duvivier vous l'a demandé, c'est Jupiter lui-même! déclama Julien avec ironie Ce phénix de la presse!

— Ne dites pas de mal de mon ami Duvivier, protesta Window, c'est un renard, mais quel talent!

— Tiens! Vous fumez, remarqua Julien, tandis que Sabine acceptait la cigarette offerte par le diplomate anglais Vous buvez aussi, peut-être? Une femme libre doit mener une vie d'homme

Surpris par le ton des échanges, le pauvre Window demeura une seconde stupéfait, son briquet allumé à distance

— Dois-je conclure qu'étant un homme, vous buvez beaucoup? interrogea Sabine en rejetant vers

Julien sa première bouffée de tabac dans un geste de provocation enfantine qu'elle se reprocha aussitôt.

— Nous buvons tous, dans ce fichu métier! remarqua l'Anglais.

— Mon directeur ne boit jamais, affirma Sabine; il est vrai qu'il a une volonté admirable.

— Je veux bien croire, persifla Julien, que c'est une sorte de génie universel et que vous avez eu beaucoup de chance de le trouver sur votre chemin...

— Exactement, approuva Sabine, espérant provoquer l'agacement de son interlocuteur D'ailleurs, je dois l'appeler avant de partir pour Gabès, ajouta-t-elle en regardant sa montre

— Alors, nous ne vous retiendrons pas, riposta Croiseau en se levant brusquement sous l'œil effaré de Window Je vais moi aussi préparer mes bagages.

— Vous rentrez à Beyrouth? demanda Sabine d'une voix si changée qu'elle en fut elle-même surprise

— Non Je pars vers le sud

La moustache fournie de George Window semblait pendre avec tristesse sur ses joues rondes, rougies par les libations. De toute évidence, le diplomate commençait à soupçonner l'hostilité si particulière de ses compagnons

— Je ne vous imiterai pas, déclara-t-il Mon devoir est de demeurer auprès de ce flacon.

Il désignait la bouteille de champagne au trois quarts pleine

— A votre aise, mon cher collègue, dit Julien en riant Venez, mademoiselle, je vais vous accompagner jusqu'aux ascenseurs

Sabine faillit protester, mais le regard surpris de Window l'arrêta Mieux valait conserver quelque discrétion, si du moins l'attitude de Julien n'avait pas déjà rendu ces précautions inutiles

Comme ils s'éloignaient ensemble, regagnant le

hall, elle sentit sous son coude la main nerveuse de son mari. Il murmura, faussement complice :

— Quel plaisir de nous retrouver enfin seuls!

— Tu ne trouves pas le procédé un peu ordinaire? lança-t-elle en entrant délibérément dans un ascenseur où se trouvaient déjà deux Saoudiens à la barbe noire, dessinée comme au fusain sur leurs visages aigus.

— Au cinquième, n'est-ce pas? demanda Julien en appuyant sur le bouton.

Sabine ne répondit pas. Les deux Saoudiens souriaient à cette ravissante jeune femme occupée, leur semblait-il, par une amusante scène de ménage Ils saluèrent noblement leurs compagnons en descendant au troisième étage. Les deux époux se retrouvèrent seuls pour le court trajet qui leur restait à faire avant d'arriver à la chambre de Sabine.

— Je croyais que tu voulais préparer tes bagages, dit-elle, n'osant introduire la clé dans la serrure.

Julien lui prit la clé des mains et entra le premier

— Tu n'as pas changé de parfum, remarqua-t-il

Emue malgré elle par cette remarque, elle faillit céder à l'envie de tout dire, de livrer, sans plus de scrupules, le drame qu'elle vivait depuis leur séparation Elle entama, timidement

— Il faudrait peut-être que je t'explique

— Ah non! protesta Julien Tu ne nous mettras pas dans une situation encore plus ridicule que celle dans laquelle je me débats depuis deux ans. Tu es libre de faire ce que tu veux, désormais Epargne moi au moins les confidences!

— Alors, que fais-tu ici?

Il s'approcha d'elle et la prit par les épaules pour l'attirer contre lui

— Je fais ce que bon me semble Il se trouve que tu as plutôt embelli Il est normal qu'un mari trompé saisisse une occasion pour profiter une fois encore

— Tu es odieux, tu veux m'humilier, protesta Sabine en se rejetant en arrière

Il se rapprocha encore et la serra contre son corps. La chambre autour d'elle vacilla. Déjà, la bouche de Julien, prenant la sienne, lui rappelait, s'il en était besoin, qu'elle était restée la petite amoureuse d'autrefois. Mais il était devenu méprisant, plein de rancœur

— Julien, murmura-t-elle dans une dernière tentative pour révéler la vérité.

Les caresses se faisaient plus pressantes et Sabine luttait comme une somnambule contre le désir et le corps chaleureux. Tout en elle retrouvait l'élan, le trouble, l'amour. Pourtant, ce n'était plus la même femme que Julien tenait dans ses bras, et ni l'un ni l'autre en cette minute ne pouvaient dire « qui » elle était. Le visage souriant de Leila traversa sa mémoire.. Il fallait d'abord savoir la vérité, ne pas se laisser reprendre par son trouble alors qu'elle serait peut-être obligée, dans quelques jours, de renoncer définitivement à lui.

Ce fut lui qui soudain se redressa et constata, glacial

— C'est bien ce qu'il m'avait semblé hier Tu es incapable de résister J'imagine la belle carrière que ma femme a pu entreprendre en deux ans de liberté !

Et, sans qu'elle eût le temps de protester, il traversa la chambre et repartit.

Elle s'écroula sur le lit. Pourquoi avait-il fallu qu'elle soit si accablée, contrainte au silence, à la fuite devant l'homme qu'elle aimait le plus au monde? Il fallait attendre, il fallait savoir Depuis qu'elle avait appris qu'elle n'était pas la fille des Puymorens, elle avait essayé de biaiser avec cette cruelle énigme... Une part d'elle ne voulait pas savoir trop vite la vérité difficile

Le téléphone sonna. Elle se leva lentement pour aller répondre.

— Mademoiselle Rivière? C'est la réception. Votre voiture est là depuis deux heures. Comme vous ne l'avez pas réclamée.

— Oh! merci, je descendrai dans un quart d'heure.

Elle avait oublié Gabès, la politique, les joies d'un métier qui, depuis qu'elle avait revu Julien, lui paraissait soudain plus difficile et moins satisfaisant.

Pourtant il fallait préparer ses bagages et reprendre la route. Son directeur n'était pas homme à accepter que ses journalistes vivent des histoires d'amour aux dépens de leur travail. De plus, il lui fallait atteindre Gabès dans la soirée, ce qui représentait un rude trajet.

Tout en accélérant courageusement ses préparatifs, elle entendait encore la voix de Julien entrant dans la chambre « Tu n'as pas changé de parfum. » Ainsi, lui aussi se souvenait. Peut-être même souffrait-il encore, parfois, de ne plus vivre avec elle? Mais alors pourquoi n'avait-il tenté aucune démarche pour la revoir?

Avant de quitter la chambre, elle ne put s'empêcher de téléphoner une fois encore à Leila Choukri. Celle-ci n'était pas dans son bureau et, lorsque la secrétaire proposa aimablement de « la chercher dans le service », Sabine refusa, un peu honteuse de son impatience après deux ans d'attente et d'atermoiements. Mais depuis qu'elle avait revu Julien, elle préférait encore savoir au plus vite, même le pire.

La voiture qu'on lui avait livrée était une 404 blanche. Elle s'y installa, un peu rassérénée. Dans cet habitacle, elle se sentait protégée, retranchée du monde et de ses mauvaises surprises. Elle aimait conduire. Peut-être parce qu'elle avait appris très facilement grâce à Julien, alors qu'ils étaient encore fiancés.

« Julien, Julien, Julien, il n'y a pas que lui, j'existe moi aussi et ce n'est pas ma faute si le destin. » scanda-t-elle à haute voix en démarrant.

La traversée de la ville fut une épreuve. Elle revit une fois encore le cadre de son enfance heureuse. Chaque visage entrevu lui paraissait étrangement familier.

« Si j'ai tant aimé ce pays, c'est peut-être parce que j'y ai mes vraies racines », pensa-t-elle. Et, machinalement, elle passa une main dans ses cheveux si noirs, si bouclés.. Une preuve de plus, lui semblait-il, que Julien de Croiseau n'avait pas épousé une Puymorens et que, dans ce cas, le mariage pourrait être aisément annulé.

Laissant à sa gauche la route d'Hammamet, Sabine s'engagea sur le tronçon qui conduisait à Sousse. Elle avait à peine fait une vingtaine de kilomètres dans cette direction qu'une silhouette masculine se dressa, sur le bas-côté, faisant des signes. Elle ralentit.

L'attaché de presse français était appuyé contre sa voiture inutilisable .. Une courroie de transmission l'avait lâché en chemin

— Vous pourriez croire à une infâme machination, s'exclama-t-il en la reconnaissant, mais pour moi, c'est plutôt un mirage, une coïncidence merveilleuse

— Il y aura certainement, à Sousse, un garagiste compétent, répliqua Sabine, un peu méfiante en effet, se demandant si le gentil Robert n'avait pas organisé cette rencontre sur la route

— Vous ne m'avez pas appelé comme promis, reprocha-t-il gaiement en s'installant auprès d'elle

— C'est vrai J'ai oublié Je me suis mise en retard J'ai dû prendre un verre avec le chargé d'affaires anglais

— Nous étions ensemble chez le Premier ministre. Il y avait aussi Croiseau.

— En effet, je l'ai trouvé en compagnie de Window, acquiesça négligemment Sabine. Toujours aussi antipathique !

— Je l'ai interrogé sur la manière dont il nous a escortés l'autre soir, lorsque je vous raccompagnais au Hilton. Il m'a demandé si je vous avais fait la cour !

— Vraiment ?

— Oui. Je lui ai dit que je ne connaissais pas d'homme qui ne soit susceptible de faire la cour à une personne aussi ravissante.

— Et que vous a-t-il répondu ?

— Qu'il n'aimait pas les amazones !

— Il doit être très conformiste ! s'exclama Sabine, intérieurement vexée.

— Je lui suis en tout cas très reconnaissant, car c'est lui qui a décidé l'ambassadeur à m'envoyer à la frontière libyenne. Je lui dois donc notre rencontre en ces lieux !

Sabine n'était pas tellement fâchée d'avoir à son bord un compagnon agréable. Le gentil Robert lui faisait trouver la vie moins morose et la route moins longue.

— Ainsi, reprit le jeune diplomate qui était décidément très intrigué par la journaliste, vous n'avez aucune attache sentimentale, et, libre comme le vent, vous sillonnez les espaces ?

— Peut-être que j'ai dans ma vie un homme qui n'aime pas les amazones, plaisanta Sabine pour qui cette manière de jouer avec la vérité était une sorte de conjuration de la réalité.

— Vous ne l'auriez pas choisi, affirma Robert. Non. Lorsque vous jetez un regard sur un homme, c'est qu'il est au moins explorateur ou pilote d'essai, je suppose ?

— Peut-être. En tout cas, j'y penserai désormais.

— Je ferai prendre ma voiture par le garagiste de Sousse, mais si vous aviez la gentillesse de me garder avec vous jusqu'à El Jem, cela me permettrait de ne pas être en retard à un rendez-vous...

— De travail?

— Oui. De travail.

— Eh bien, je ferai un effort pour vous conduire à bon port, mais comment récupérerez-vous votre véhicule?

— J'ai à Sousse d'excellents amis tunisiens qui se feront un plaisir de me l'amener à El Jem.

— Vous aimez bien la Tunisie?

— Hélas, je l'adore, mais comme je suis déjà en poste ici depuis deux ans, je risque de repartir dans l'année...

— Et vous n'êtes jamais tombé amoureux d'une Tunisienne?

— Est-ce que c'est un piège?

— Non. Je voudrais simplement savoir.

— Eh bien, j'ai espéré, six mois après mon arrivée, pouvoir séduire une très belle jeune fille... Son père est un peintre connu et plein de talent, mais plein aussi de préjugés : il l'a expédiée immédiatement chez une tante! Je ne l'ai plus revue.

— En tant que diplomate, vous n'auriez pas eu de problème en épousant une étrangère?

— Aucun. La nationalité française s'acquiert tout naturellement par le mariage.

— C'est vrai! Je posais une question bien sotte, répliqua Sabine que la réaction et les réponses de l'attaché de presse rassuraient un peu...

Pour Julien, ce ne serait pas un problème de nationalité qui se poserait, mais d'identité. Il avait épousé une femme; accepterait-il d'en changer, d'une certaine manière, en apprenant le secret de la naissance de Sabine?

Tout, décidément, la ramenait à Julien, ou plutôt, c'était elle qui choisissait tous les prétextes pour y penser sans cesse.

« Vous êtes peut-être des nôtres », avait dit Leila Choukri en la quittant... Peut-être aussi Sabine avait-elle eu pour mère une jeune fille trop belle séduite par quelque diplomate amoureux... Une jeune fille que l'on n'aurait pas envoyée à temps chez une tante éloignée, comme la muse du pauvre Robert?

Les démarches auprès du garagiste, le bavardage allègre de Robert l'aidèrent à dissiper pour un moment ses angoisses, et, lorsqu'ils arrivèrent, à la tombée du jour, en vue de l'immense amphithéâtre d'El Jem, Sabine était redevenue la dynamique envoyée spéciale d'un grand quotidien.

Dans la lumière du soir, le grand cirque de pierres rousses brillait doucement. Aucun touriste à cette heure. Quelques habitants de la localité étaient installés sur les chaises des petits cafés environnants.

— Trente mille places, c'est tout de même surprenant! s'exclama Robert en descendant de voiture.

— On n'a pas encore fouillé vraiment autour du théâtre, mais je suis sûre que l'on trouvera un jour le reste de la ville, répondit Sabine, qui contemplait avec émotion cet appareil de pierres qui l'avait tant impressionnée autrefois, lorsqu'elle avait visité les lieux en compagnie de ses... parents.

Elle retrouvait soudain ses impressions de petite fille, sa curiosité pour l'histoire qu'on lui racontait, sa pitié pour les premiers martyrs chrétiens livrés aux fauves dans la grande fosse encore apparente...

— Vous voulez des lampes romaines?

Un vendeur, surgi de nulle part, était devant eux, avec ses paniers en bandoulière et sa moisson de vraies et de fausses antiquités.

— Non merci, dit Sabine en arabe.

— Tu n'es pas touriste, alors?

— Non, admit-elle en souriant.

— Alors je peux te faire voir de belles choses, des ıntailles, des lampes, une statue. C'est remonté après les grandes inondations. On a trouvé beaucoup de choses, mais ça n'est pas pour les étrangers..

— Vous vous faites des confidences, remarqua Robert en souriant. Je ne savais pas que vous parliez couramment.

— J'ai passé cinq ans à Tunis pendant mon enfance et je jouais avec tous les enfants du quartier J'ai appris sans m'en apercevoir

A ce moment, une voiture noire du corps diplomatique se gara derrière les grilles protégeant l'amphithéâtre C'était Julien. En une minute, le ciel s'assombrit. Sabine venait de réaliser ce que signifierait ınévitablement pour son mari la présence de l'attaché de presse à ses côtés. Elle pâlit.

Déjà, Julien s'avançait vers eux.

— On retrouve les amoureux! lança-t-il. Voilà comment les hasards de la politique peuvent donner lieu à de charmantes fugues!

— Il est complètement fou, murmura Robert. Je n'aurais pas pensé qu'il oserait.

Rien ne pouvait paraître plus surprenant, en effet, que cette plaisanterie douteuse dans la bouche de l'un des plus brillants diplomates français.

— Je ne voudrais pas vous retenir, Robert, chuchota Sabine, votre rendez-vous.

— Mais je ne peux vous laisser aux prises avec ce maniaque, protesta le jeune attaché dans un élan chevaleresque dont le ridicule lui échappait.

— Rassurez-vous, j'en ferai mon affaire, affirma la jeune femme. Et puis, je tiens à aller voir quelques antiquités chez les vendeurs clandestins du village...

— Vous arrêterez-vous à Gabès ou plus haut?

— Je tiens à coucher à Gabès. J'ai une chambre à l'hôtel de l'Oasis.

— Au revoir, monsieur, fit Robert en s'inclinant devant Julien. J'ai un rendez-vous. Je suppose que nous nous retrouverons tous ce soir à Gabès?

— Sans doute, dit Julien glacial, à moins que des circonstances imprévues ne nous retiennent...

Sabine à nouveau parlait avec le revendeur Cette fois, le troisième interlocuteur comprenait parfaitement la langue. Il intervint donc à son tour

— Nous aimerions aller dans ta maison

— Suivez-moi, dit le marchand avec un sourire mystérieux. Vous allez être contents, j'en suis sûr

— Je ne veux rien acheter, pour ma part, protesta Sabine

— Allons, ma chérie, je suis sûr que tu seras ravie de recevoir un dernier cadeau, intervint Julien en la prenant sans façon par le bras.

Le vendeur était déjà en route Sans doute pensait-il que Julien et Sabine étaient un couple en vacances. Le fait même qu'ils parlaient tous deux sa langue en faisait à ses yeux des acheteurs privilégiés.

— Je suis désolé d'avoir chassé ton séduisant compagnon de route Pourquoi ne m'avais-tu pas dit que tu ne partais pas seule? Je me serais fait moins de souci, ma chère!

Sabine marchait au pas rapide de Julien. Pour la première fois depuis longtemps, elle retrouvait le rythme si facile à suivre et qui convenait si bien à sa propre démarche.

« Cela prouve que nous sommes fait pour vivre ensemble », avait alors remarqué Julien. . Un Julien heureux, gai et tendre.

— Tu m'avais souvent parlé de la Tunisie et particulièrement de cet amphithéâtre. Tu vois que tout arrive Nous voici ensemble devant lui! Quelle heureuse coïncidence! Dommage que les circonstances ne soient pas exactement celles que j'avais prévues!

Ils pénétrèrent dans une cour minuscule où picoraient quelques poules. Dans une cage posée à même le sol, trois lapins dévoraient leur luzerne

Jusqu'où Julien pousserait-il ce jeu cruel? Déjà, au contact de ce grand corps musclé, Sabine, malgré elle, cédait au trouble, à l'envie d'être accueillie, protégée, caressée par l'homme qu'elle aimait.

Il paraissait tout à fait indifférent à ce rapprochement qui évoquait pourtant, à lui seul, tant de moments heureux. Peut-être n'y aurait-il plus jamais de moments heureux, plus jamais d'explication ni de réconciliation Tout cela parce qu'un jour une petite fille était née, à Gafsa

Bras dessus, bras dessous, comme un vrai couple heureux, ils pénétrèrent dans la maison par une porte basse qui les obligea à courber la tête

4

La pièce était petite et sombre. Elle donnait sur une autre, plus spacieuse, dans laquelle étaient assis en rond de jeunes enfants et des femmes qui regardaient les nouveaux venus avec curiosité mais en silence Sans doute la famille avait-elle l'ordre de ne pas troubler les négociations qui se succédaient tout le jour pendant la saison touristique

L'exiguïté des lieux faisait que Julien et Sabine se tenaient proches l'un de l'autre, laissant au vendeur l'espace suffisant pour ouvrir et refermer les vastes tiroirs de deux commodes rebondies. Ces meubles étaient insolites dans le décor typiquement tunisien aux murs blanchis à la chaux, aux tables basses, aux étagères creusées dans les parois

Une atmosphère de mystère et d'intimité enveloppait les assistants de ce curieux ballet, qui ramenait au jour, entre les mains tannées du vendeur, les vases, les bijoux d'or ou de cuivre, les plats fragiles et les lampes à huile décorées de scènes mythologiques

Une odeur de résine odorante, brûlée dans quelque brasero pour « éloigner les mauvais sorts », ajoutait à l'étrangeté Sabine, fascinée par la présence de Julien en ces lieux, s'était tue, s'accordant la permission de rêver, à la faveur de la pénombre et du conciliabule animé qui les occupaient, tout en admirant une superbe intaille d'émeraude, merveille inattendue prouvant que le marchand savait estimer à la mine le client qu'il ne pourrait tromper.

S'avançant vers la porte en entraînant Sabine qu'il avait prise par la taille, Julien leva vers la lumière la pierre gravée...

— Elle a un défaut...

— Toutes les émeraudes en ont un, riposta dignement le marchand en redressant fièrement la tête. Ou alors, elles sont fausses!

— Je voudrais tout de même m'assurer qu'il n'y a pas de fêlure, là, sur la gauche...

Le marchand reprit l'intaille entre ses doigts, la déposa avec précaution sur l'une des commodes et tira de sa poche la pâte noire qui permettrait de juger de la gravure en en donnant l'empreinte.

— Il s'agit de Mercure, commenta Julien en retournant à la porte pour examiner la cire Le messager des dieux. Les ailes aux pieds sont ravissantes .

— C'est une pièce de musée, commenta sobrement le vendeur, qui n'aurait pas dû posséder dans ses tiroirs ces pièces du patrimoine

— Je la prends, dit Julien

Le prix annoncé ne le fit pas sourciller Il accepta sans marchander, ayant sans doute, lui aussi, estimé par intuition que le vendeur avait donné son dernier prix

— Tu ne veux pas une lampe à huile, une pièce de monnaie, un de ces jolis vases? demanda Julien à Sabine

— C'est moi qui l'offre, intervint le vendeur

Et la main brune, voltigeant au-dessus des cols fragiles, choisit une coupe légère, au grain doux et mat, et la tendit à la jeune femme qui la reçut avec émotion Le geste du marchand annulait l'intention méchante de Julien et transformait en offrande une proposition méprisante

Sans doute Julien connaissait-il déjà la femme pour laquelle il ferait monter la belle émeraude... Elle s'apercevait que, dans son aveuglement, elle n'avait jamais envisagé que Julien pût aimer sérieusement une autre qu'elle. Comme elle avait été sotte et prétentieuse! Ses préoccupations l'avaient en quelque sorte protégée pendant deux ans d'une idée plus insupportable que les autres, mais qui devait être désormais une réalité.

Alors, bizarrement, la jalousie et la colère firent d'elle une autre femme. Elle s'avança vers le vendeur et déclara :

— Maintenant, à moi de choisir. Je cherche une pièce en or. C'est pour un collectionneur très averti .

Un frémissement passa sur les traits de Julien. Il fronça les sourcils. Sans doute ne s'attendait-il pas à cette réplique feutrée, à cette riposte imprévue

— Vous m'attendez un moment, dit le marchand Les pièces d'or sont dans ma chambre

Il passa dans l'autre pièce La famille continuait à regarder ce couple de bons clients avec sympathie Autant de paires d'yeux noirs et brillants, au regard aigu aussi aigu que celui de Sabine Rivière, l'envoyée spéciale, la journaliste

Elle sourit à la plus jeune des femmes, qui devait être aussi la mère des quatre bambins Celle-ci lui fit un signe d'amitié, toucha son propre visage à l'ovale régulier et dit enfin

— Vous avez l'air d'une Tunisienne Vous êtes très jolie

— Merci, fit Sabine

— C'est vrai que tes ancêtres espagnols t'ont donné leur regard, acquiesça Julien avec une fausse bienveillance, mais ils font aussi courir dans tes veines un sang bien impétueux, ajouta-t-il en ricanant

« Une petite fille Ce jour-là A Gafsa »

La pièce se mit à tourner autour de Sabine Elle

chercha un appui, se dirigea vers l'une des commodes et faillit renverser un plateau. Julien s'était vivement avancé à son tour :

— Quelque chose qui ne va pas? demanda-t-il avec un visible agacement.

— Non, non... Je... Je voulais regarder ce coffret...

Elle se consacra à l'examen d'une boîte en or incrustee de minuscules émeraudes et de brillants.

— C'est une boîte à pilules du XVIIIe, déclara Julien. Elle n'a rien à voir avec les antiquités romaines. Par quel hasard se trouve-t-elle là?

Le vendeur revenait avec deux superbes pièces d'or, petites, lourdes, presque intactes...

Le prix d'une telle fantaisie pèserait lourd dans le budget modeste de la journaliste, mais elle aurait choisi de mourir plutôt que de marchander. Elle choisit la plus belle.

Quelques minutes plus tard, salués par toute la famille massée dans la cour, ils quittèrent la caverne d'Ali Baba. Le soir tombait. Il n'y avait plus de soleil. L'imposante masse de l'amphithéâtre semblait s'enfoncer à nouveau dans le passé comme un vaisseau fantôme

— Tu vas retrouver quelque part ton passager préféré, sans doute? demanda Julien

— Oh, si ce n'était que lui! s'écria Sabine avec légèreté Non Pour me plaire, il faut tout de même un peu plus de personnalité Je ne sais pas, moi Un explorateur, un pilote de ligne!

— Un collectionneur d'antiquités, persifla Julien

— L'un n'empêche pas l'autre, et peut-être les trois! Comme tu le remarquais tout à l'heure, mon sang espagnol

— Je ne voudrais pas t'importuner plus longtemps, dit-il, je souhaite que la pièce d'or plaise à son destinataire

— Je ne voudrais pas être en reste d'amabilité, je

t'assure que je forme des vœux pour la destinataire de l'intaille.

— Merci pour elle! s'écria Julien avec une apparente gaieté. Je le lui dirai!

Elle entra dans la 404, le cœur meurtri par les dernières paroles de son mari. Son mari... Hélas, plus rien ne prouvait qu'il pourrait le redevenir un jour! Et elle-même, si exigeante et si exclusive, qu'avait-elle fait? Elle était partie comme une coupable, sous le coup d'une émotion qu'elle aurait dû savoir maîtriser.

Un convoi militaire remontait vers le nord. Tandis qu'elle ralentissait et serrait sur la droite pour laisser passer les lourds véhicules, elle fit un effort pour renouer avec son reportage. Il faudrait dicter un papier à son arrivée à Gabès. Elle devrait donc s'enquérir rapidement de l'adresse d'un avocat tunisien qui avait des contacts avec les opposants au régime actuel. Elle savait aussi qu'un réseau très au point était échelonné sur toute la région des montagnes de Matmata et du grand sud, par où s'effectuaient des passages clandestins entre la Tunisie et la Libye.

Tout en méditant l'article qu'elle rédigerait, Sabine accélérait maintenant sur la route presque déserte En cette période de l'année, on était à l'abri des grands cars remplis de touristes et seuls les amateurs de vacances « bon marché » visitaient les musées et les villes.

Bientôt, elle dépassa Sfax, la ville industrielle, avec ses pétroliers et aussi ses superbes oliveraies s'étendant sur des milliers de kilomètres carrés. Les arbres, ici, très hauts, bien taillés, imposants, symbolisaient la prospérité de la province et de ses environs. Mais il fallait résister à l'envie de s'arrêter, car la nuit tombait Heureusement, la route était maintenant presque droite Il suffisait de se concentrer sur les croisements avec les petites routes venant de la campagne qui pouvaient libérer soudain un troupeau, un âne fantaisiste ou les charrettes à peine éclairées des ouvriers agricoles.

Soudain, l'air se fit plus doux. Par les vitres ouvertes, les parfums de la campagne se modifièrent, tandis qu'en quelques kilomètres, la végétation s'amenuisait On entrait dans la région du Sud, tellement plus pauvre, plus désertique déjà, mais si noble aussi avec le déploiement majestueux de ses steppes. Malgré la nuit, Sabine captait le changement d'atmosphère, le silence plus recueilli de la campagne

L'hôtel de l'Oasis, brillamment éclairé, fut la seule rupture au long de ce trajet monotone Malgré son modernisme un peu prétentieux, Sabine fut heureuse de se garer enfin devant le grand bâtiment et de se retrouver dans sa chambre après cette journée épuisante Il était près de onze heures lorsqu'elle put enfin descendre au salon de l'hôtel, après avoir dicté son article au journal

Contrairement à ce qu'elle pensait, il y avait encore beaucoup de monde dans les salons. Une bande joyeuse de vacanciers du troisième âge s'y appliquait à retrouver les pas du tango et du pasodoble Vêtus sans recherche, mais d'une manière plutôt sportive, tous semblaient avoir réellement rajeuni et riaient comme une bande de collégiens. A côté d'eux, Sabine se trouvait morose et pitoyable Elle eut honte d'elle-même Aussi s'empressa-t-elle d'accepter la danse que lui proposait un vieux monsieur souriant et alerte qui, se dirigeant vers elle, déclara :

— Nous n'avons rien contre les jeunes, vous savez!

— C'est parce que vous êtes jeune vous-même, affirma Sabine en souriant.

— Est-ce qu'à votre âge on sait encore danser le tango?

— Au contraire, nous avons été obligés de l'apprendre parce qu'il est revenu à la mode!

Ils s'avancèrent ensemble sur la piste L'arrivée de Sabine créa une diversion et un mouvement d'étonnement parmi les danseurs.

— Je suis à la retraite, expliqua le cavalier de Sabine J'ai enseigné longtemps le français en Tunisie. J'y reviens chaque année

— Et vous étiez à Tunis même?

— Non. A Bizerte, où je suis devenu un bon pêcheur, à Gabès, où j'ai fait de la voile, et à Gafsa aussi.

— Et qu'est-ce que vous avez appris à Gafsa? demanda Sabine, plus tendue malgré elle depuis que son compagnon avait évoqué la ville où elle était sans doute née

— J'ai appris à regarder, dit-il, j'ai appris aussi le désert. Les environs de la ville sont superbes.

Déjà, il la raccompagnait avec empressement à sa table et se retirait avec des remerciements. Elle commanda un thé à la menthe et regarda de nouveau autour d'elle Elle aperçut alors l'attaché de presse français. Elle mit un certain temps à le reconnaître, tant il était différent · enfoncé dans un fauteuil, un verre de whisky à la main, il paraissait absent.

Sabine lui adressa un signe, tentant vainement de capter son regard. Il ne bougeait pas. Un peu inquiète, elle quitta sa table et s'avança vers le jeune homme. Il leva la tête, la contempla avec tristesse et murmura ·

— Vous êtes arrivée?

— Oui, fit-elle gaiement, il y a deux heures déjà, mais j'ai eu du travail. Vous avez l'air.. fatigué?

— Fatigué? répéta-t-il, visiblement hébété.

— Allons, Robert, secouez-vous! Seriez-vous malade?

— Qu'est-ce que cela pourrait bien vous faire?

lança-t-il d'une voix pâteuse qui expliquait sa conduite. Personne ne m'aime! Si je mourais, personne ne me pleurerait!

Au bout de cette journée épuisante, après tant d'émotions, Sabine, en s'asseyant à côté du jeune Français, fut prise d'un fou rire. Il lui restait à jouer les infirmières!

— Qu'est-ce que vous avez fait à mon pauvre Robert? lança la voix chaleureuse de George Window. Ah, mon pauvre ami! Les femmes sont terribles!

Window tenait à la main une petite bouteille :

— J'étais avec lui. Je tiens à ce qu'il prenne un peu de ce médicament avant de monter dans sa chambre. C'est souverain. Le pauvre garçon a trop bu, il n'a pas l'habitude.

— Comment êtes-vous arrivé si vite, monsieur Window? interrogea Sabine

— J'ai atterri à Tozeur à quatre heures de l'après-midi. A cette heure-là, vous arriviez à peine à Sousse, je suppose Ensuite, j'ai pris un taxi pour faire les quatre-vingts kilomètres! A mon âge, il faut ménager ses forces!

Il se tenait devant elle, frais et rose, malicieux, tendant au Français la potion noyée d'eau.

Robert refusa de boire, affirmant que c'était un philtre magique qu'on voulait lui administrer et qu'il ne se laisserait pas convaincre

— Et si c'est Mlle Rivière qui vous le fait boire? demanda doucement Window, que cette scène amusait prodigieusement

— Sabine Je peux dire Sabine, parce qu'elle aussi m'appelle par mon prénom Si c'est Sabine, je veux bien...

— Mademoiselle, déclara pompeusement Window, il s'agit de notre victime! Ferez-vous un geste?

— Monsieur Window, passez-moi ce verre Je suis sûre que Robert m'obéira, répondit-elle en riant.

Le jeune attaché avala tout ce qu'on voulut bien lui donner

— Laissons-le se reposer un peu, maintenant, conseilla Window Je le ramènerai à sa chambre dans quelques minutes. Savez-vous que les événements se précisent?

Et le sympathique diplomate livra à l'envoyée spéciale les dernières nouvelles sur le complot libyen. Les Tunisiens ayant en général l'imagination très vive, mieux valait ne pas se précipiter pour câbler les bruits alarmants. Elle préférait attendre les informations de l'avocat avec lequel elle avait pris contact par téléphone et qui arriverait d'une minute à l'autre, empressé, malgré l'heure tardive, de renseigner la presse internationale.

Quelques instants plus tard, en effet, tandis que Window, robuste et râblé, soutenait d'une main vigoureuse le pauvre Robert, qui ne semblait pas aller beaucoup mieux depuis l'absorption de la potion magique, un serveur vint lui dire qu'on la demandait à la réception.

Traversant les salons séparés par des boiseries sculptées et des grilles en ferronnerie de belle facture, elle se trouva en face d'un homme brun, d'une quarantaine d'années. Pendant une demi-heure, les nécessités de son travail permirent à Sabine d'oublier un peu Julien de Croiseau.

— A Ghadamès, vous recevrez un messager qui vous donnera les dernières nouvelles, dit l'avocat en la quittant.

Ghadamès, c'était la ville frontière au sud de la petite Syrte. Elle n'était jamais descendue si loin vers le Sahara. Une part d'elle était curieuse de connaître ce paysage désolé de pierres et de sable dont ses parents lui avaient quelquefois parlé avec nostalgie.

Elle rejoignit sa chambre en évoquant ces dangereux souvenirs. Demain, avant de partir, elle appellerait Tunis pour savoir où en étaient les recherches de Leila. Cette nuit encore, elle devrait dormir avec ses doutes et son angoisse. Julien était-il à l'hôtel ou poursuivait-il sa route vers le sud pour être sur place plus tôt?

Epuisée de fatigue, elle s'endormit sur cette interrogation. Ses rêves furent pénibles et angoissants. Dans tous revenait son mari. A l'amphithéâtre d'El Jem, devenu dans ses fantasmes un dangereux toboggan, elle se vit tomber dans la fosse aux lions tandis que Julien, perché sur les gradins, la regardait en riant. Elle mélangea la visite au vendeur d'antiquités avec la rencontre du professeur de français sur la piste de danse, elle crut être poursuivie par lui à travers des paysages inconnus, tandis que cet homme sympathique lui criait, menaçant : « J'ai appris à regarder, j'ai appris à regarder! » Enfin, elle revit pour la centième fois le visage du docteur Verrière et revécut la scène si courte et pourtant si déterminante de sa visite :

— Ils sont morts tous les deux?

— Hélas, oui, il y a huit ans. .

— Et la petite fille qu'ils avaient adoptée

A ce moment du rêve, Sabine s'éveilla en pleurant, comme elle avait pleuré ce soir-là en quittant la maison de Julien. Le jour entrait dans la chambre dont elle n'avait pas tiré les rideaux. Il était six heures du matin

Elle courut à la fenêtre. La mer était devant elle, parfaitement calme et bleue Au large, les grands voiliers si caractéristiques des pêcheurs de Gabès filaient majestueusement vers l'horizon. Elle rêva un moment d'être sur le pont d'un de ces navires à l'allure de bateaux de corsaires... Mais il y avait Duvivier, son directeur, il y avait l'impératif du travail et de l'enquête, plus douloureuse qu'elle avait déclenchée. Il fallait en finir avec les doutes et regarder enfin, à nouveau, le monde en face.

Fermant les rideaux, elle prit une douche, s'habilla de frais et descendit prendre son petit déjeuner dans la salle à manger déserte.

— Vous êtes bien matinale. dit un garçon en s'avançant. Nous commençons à peine à servir.

— Je dois aller vers le sud, répondit-elle en s'asseyant à une table. Mieux vaut arriver tôt.

— Vous allez visiter Tozeur?

— Non. Ghadamès.

— Si loin? Toute seule?

— Je suis journaliste!

A partir de cette confidence, le jeune homme fut interminable. Il voulut à la fois tout savoir et tout dire, confondant visiblement Sabine avec quelque agent secret de roman-photo.

Un appel téléphonique mit heureusement fin à cet échange qui ne menait à rien. Sabine s'enferma dans la cabine. C'était Leila Choukri :

— Votre mère est morte quelques heures après votre naissance...

— Vraiment, Leila? Et...

— Vous comptez vous rendre à Gafsa, je suppose?

— Oui.

— Alors c'est à la municipalité qu'il faudra aller Je les ai prévenus. Ils vous donneront tous les détails et, si vous voulez faire des démarches..

— Et mon père? demanda timidement Sabine Ai-je

— Ma chère Sabine, je sais combien il est difficile d'attendre quand on se trouve dans votre situation, mais vous devrez présenter vos papiers. C'est à vous seule, comprenez-vous...

— Bien sûr, Leila, je comprends. Et je vous

remercie. Nous nous reverrons à Tunis quand tout sera fini...

— J'espère bien, fit l'assistante sociale avec gaieté... Mais de quel « tout » parlez-vous? La révolution serait-elle aux portes?

— Je n'en sais rien, on continue à beaucoup s'agiter autour de cette rumeur et, de toute manière, il y aura au moins une révolution, modeste certes, mais nécessaire, urgente : la mienne!

— Les révolutions, il faut les réussir, observa Leila gravement. Je vous souhaite du courage et de l'indulgence. Ne jugez personne, Sabine. Dieu seul..

— Sans vous, je serais bien perdue! s'exclama la jeune femme dans un élan de reconnaissance. Vous avez raison. Il ne faut pas juger.

Les yeux pleins de larmes, elle revint à la salle à manger et s'arrêta net . Julien de Croiseau était assis à sa table et beurrait soigneusement ses tartines!

— Pour un mari trompé, on ne peut être plus prévenant, n'est-ce pas? ricana-t-il, tandis qu'elle s'asseyait en face de lui. Comme on t'avait servie et que tu paraissais occupée ailleurs, j'ai cru bon d'aider une journaliste de vocation!

— Je te remercie, murmura-t-elle, encore bouleversée par les nouvelles annoncées par Leila Choukri J'ai pris l'habitude de manger seule.

— Pas toujours, insista Julien. Au fait, le beau brun d'hier soir, c'est un collectionneur ou un pilote d'essai?

— Lequel?

— Allons, ne fais pas la modeste Celui avec lequel tu parlais si confidentiellement à la réception avant que vous ne rejoigniez ta chambre Mes compliments, c'est un beau garçon!

Sabine faillit éclater de rire et expliquer qu'il

s'agissait d'un avocat de Gabès. Mais elle se retint et, jouant le jeu, interrogea .

— Tu le trouves vraiment beau? Moi je le trouve surtout intelligent...

— Alors, il a toutes les qualités, conclut Julien en se levant.

— Tu crois tellement amusant de pister mes amants? lança-t-elle dans l'espoir d'avoir ainsi le dernier mot.

— Un hasard nous a fait nous rencontrer. Je me renseigne sincèrement sur le caractère féminin. Tu es un exemple particulièrement intéressant et agité.

Il portait une saharienne légère sous laquelle Sabine savait bien que son torse était nu. Elle évoqua le sillon bouclé des poils partageant sa poitrine large et musclée. Comme s'il avait capté son trouble, il ne se pressait pas de la quitter et demeurait négligemment appuyé à la chaise qu'il avait remise en place. Elle lui jeta un regard plein de colère.

— Ma présence te déplaît? Te dérange? demanda-t-il avec ironie.

— Elle m'est indifférente, répliqua-t-elle avec dans la voix une émotion qui suffisait à démentir ses propos.

— Alors, c'est que tu as une manière toute spéciale d'être indifférente, laissa-t-il tomber Aurai-je le plaisir de te rencontrer à nouveau à Ghadamès? Le serveur m'a expliqué que tu y partais en « mission secrète »

Elle sourit malgré elle. Il insista

— La mission secrète concerne-t-elle aussi le beau brun d'hier soir?

Sabine eut un mouvement d'impatience Ce pauvre avocat avait décidément bon dos! Elle répliqua cependant sans vergogne :

— Il se pourrait en effet que nous descendions ensemble

— Alors, bonne route! s'exclama Julien, que cette nouvelle ne parut pas scandaliser autant que la présence, la veille, de l'attaché français.

Elle se força à manger les tartines beurrées par Julien Quelles étranges circonstances la ramenaient ainsi au bonheur passé! Pourtant, Julien ne paraissait pas éprouvé par leur séparation. Il restait l'homme élégant et maître de lui qu'elle avait tant admiré, dont elle était si fière de devenir la femme.

Puis elle eut honte de ses préoccupations égoïstes Elle évoqua le visage inconnu de sa mère, chercha à lui donner des traits semblables aux siens. Qui était la jeune femme morte à Gafsa en mettant au monde une petite fille?

Un élan d'amour la portait Elle n'avait donc pas été abandonnée, mais recueillie par nécessité Les circonstances. Le père .

Pendant toute la route de Ghadamès, elle fut hantée par l'aventure atroce de cette mère inconnue Quelle détresse l'avait ainsi amenée à venir mourir en solitaire dans un hôpital? Quelle détresse et quelle passion? Avec émotion, elle réalisait que cette jeune femme était de plusieurs années sa cadette... Une grande solidarité la lia soudain à celle qu'elle ne connaîtrait jamais, dont elle ignorait encore les origines, mais que, déjà, elle était prête à aimer au point de défendre sa mémoire, même contre Julien

Le paysage devenait plus farouche au fur et à mesure que l'on descendait vers le désert. Les montagnes travaillées par l'érosion, des hameaux isolés, une steppe à peine couverte d'une herbe fine et vert pâle composaient un décor de beauté et de tristesse. Personne sur ces routes. La 404 heureusement tenait bon.

En traversant ce paysage immobile, Sabine avait peine à croire qu'il se préparât quoi que ce fût de grave D'ailleurs, à partir de ces immensités de pierres, d'éboulis, de sables et de calcaires virant parfois à l'orange, le plus souvent d'un ocre violent, rien ne paraissait pouvoir devenir grave à l'échelle des hommes; car les hommes justement se trouvaient réduits à leur taille de lilliputiens sur les pistes, à leurs travaux d'insectes besogneux.

« Et je suis un insecte moi-même, se disait-elle, avec mes chagrins, mes curiosités de journaliste, mon travail de spectatrice. »

« Mettez de la couleur, du pittoresque dans vos articles. Les lecteurs ont besoin de soleil et d'exotisme », lui avait recommandé son directeur. Etait-ce bien là le métier qu'elle croyait aimer et qui consistait à provoquer simplement une émotion sur mesure pour un public sans vraie curiosité?

Elle écarta le découragement qui menaçait de l'envahir. Ce n'était vraiment pas le moment. Elle devait se concentrer plutôt sur les lacis de la route, sur les obstacles qui commençaient de recouvrir la piste goudronnée. Ici, les vents soufflaient assez fort pour déplacer non seulement la mince couche d'humus, mais aussi les cailloux.

Que se serait-il passé si Sabine était rentrée un peu plus tard chez elle, deux ans auparavant, et si elle avait ainsi évité l'entrevue avec le docteur Verrière? Julien se serait-il peu à peu lassé d'elle? Serait-il retourné à ses jeux de célibataire séducteur, comme il semblait l'avoir fait depuis son départ?

Et brusquement toutes ses interrogations cessèrent. La voiture, jusque-là si fidèle, venait de s'arrêter au milieu de la route.

Retrouvant tout son sang-froid, Sabine vérifia d'abord ce qu'elle avait appris à reconnaître. Hélas, tout était en ordre au niveau le plus superficiel du moteur.

Pour éviter la panique dans cette solitude qui

risquait de se prolonger longtemps si elle ne parvenait pas à réparer, elle décida de se reposer un moment sur le bord de la route en fumant une cigarette et en mangeant un sandwich

Le silence était impressionnant. Pas même un cri d'oiseau. Elle se trouvait à plus de six kilomètres du prochain hameau.

Sans doute eût-il été plus prudent d'écouter les conseils de George Window, qui s'était exclamé la veille :

— Si vous devez faire ce trajet, partez à deux voitures, en même temps que Croiseau. Ainsi, si l'un de vous deux tombe en panne

Et Sabine avait alors pensé avec amusement que la panne était plutôt intervenue entre elle et Julien, de sorte qu'il n'était plus question de s'aider mutuellement sur la route!

Assise sur un rocher assez spacieux et muni d'une sorte de dossier naturel, elle retardait le moment de retourner vers l'énigmatique moteur. Elle se doutait déjà qu'un arrêt aussi brutal signifiait un incident sérieux.

Au bout d'une heure d'examen, et comme elle se rendait à l'évidence, une petite silhouette apparut au-dessus de la plus haute colline. On l'interpellait Elle répondit en arabe. La silhouette naine traça sur la pente une trajectoire légère et rapide et un petit garçon déboula triomphalement à ses pieds, un grand sourire sur son visage épanoui.

Ce gracieux compagnon pouvait avoir huit ans. Il était prêt à fournir la réplique mais il ne pouvait évidemment rien en matière de mécanique.

— Tu es toute seule?

— Oui. J'ai un rendez-vous à Ghadamès.

— Je n'y suis jamais allé, avoua le garçon C'est très loin, n'est-ce pas?

— Assez.

— Tu vas dormir dans ta voiture? Elle est cassée?

— Je cherche un moyen d'aller au village Tu y habites, toi?

— Non Mais je vais tous les jours à l'école

— Combien fais-tu de kilomètres pour t'y rendre?

— Cinq Je marche dans la colline parce que c'est plus court.

— Alors, si je te donne un mot pour ton instituteur, tu pourras le lui faire lire?

— Bien sûr

— Et il a une voiture, l'instituteur?

— Non Mais mon père a un cheval

Quelques minutes plus tard, l'écolier du désert repartait vers son école par les raccourcis des collines. Sabine, elle, était réduite à l'attente, mais elle était sûre qu'on viendrait la secourir Dans un réflexe que son directeur aurait apprécié, elle formula le vœu que rien ne se passe, sur la frontière libyenne, avant qu'elle soit à nouveau capable d'occuper son poste de reporter Dans cette vallée de sable, la fin du monde elle-même n'aurait pu l'atteindre

5

Le cavalier arriva au bout d'une heure C'était un grand jeune homme très mince, véritable archétype de ces habitants du désert, qui n'ont ni la morphologie ni le caractère des Arabes d'Afrique du Nord et se ressemblent tous, à travers l'immense océan de sable appelé Sahara

Un second cheval, sellé, accompagnait le cavalier et sa monture

Il salua Sabine à distance Elle respecta ce goût du protocole et le remercia brièvement.

Ensemble, ils purent placer la 404 sur le bas-côté de la route Elle sortit de là ses quelques bagages et s'approcha du second cheval Dans son pantalon de toile, elle n'eut aucun mal à sauter en selle sous l'œil visiblement satisfait du jeune Berbère

Une fois installée et prête à partir, elle eut un regard pour ce paysage d'or et de sang qui formait autour d'eux comme un décor de film fantastique Beaucoup de touristes auraient donné cher pour se trouver en cette compagnie, dans ces lieux, à cette heure du jour où le soleil éclatant dardait ses rayons les plus meurtriers.

Après quelques centaines de mètres franchies au trot, le jeune homme déclara posément

— Je sais qui tu es.

Sabine, surprise, le regarda

— Tu es sûr? fit-elle

— Nous avions rendez-vous, ce soir, à Ghadamès.
— Comment le sais-tu?
— C'est à cause de la voiture.

Il sortit de la poche de sa chemise une petite carte. Sabine tira les rênes de sa monture et se rapprocha. Tous deux avaient décidé d'avancer au pas. Elle saisit le papier. Il portait la marque et le numéro de sa voiture.

— Quelle étrange coïncidence! s'écria-t-elle. Tu t'appelles Fayçal, alors?

— Oui. Je devais aller à Ghadamès, mais c'est mieux ainsi.

— En effet. Cela t'évite cette longue course.

— Oh! ce n'est pas pour ça! protesta-t-il. Mais avant, il faut que tu manges et que tu te reposes. Un ami va t'amener une voiture.

— Et la mienne? Je ne peux pas la laisser là-bas.

— On viendra la prendre après. Il ne faut pas t'empêcher de travailler.

Etrange aventure .. Ce jeune paysan avait l'air très au fait des avantages d'une bonne information

— C'est très aimable, remarqua Sabine en souriant. Je suis moins seule ici que je ne l'ai été depuis Tunis.

— Ici, nous sommes d'accord avec ce qui va se passer, dit sombrement le jeune homme. Mais les ordres sont changés. Il faut que tu ailles à Gafsa.

— A Gafsa? s'exclama-t-elle. Mais pourquoi?

— Ce sont les ordres, répéta-t-il, visiblement surpris par une question qui lui paraissait déplacée C'est à Gafsa que tout va commencer...

— Mais quoi donc? Jusqu'ici personne n'a voulu vraiment m'expliquer, et même ton ami l'avocat, à Gabès, avait l'air de ne pas savoir précisément

— Il ne pouvait rien dire. D'ailleurs, c'est ce matin que les ordres ont été changés. Les leurs arriveront par Tozeur. Les nôtres sont déjà là-bas.

— Il y a un téléphone au village?

— Oui. Chez l'instituteur. Mais nous ne pouvons pas te laisser appeler. Le téléphone est surveillé.

C'était dit du même ton calme et apparemment indifférent, mais Sabine comprit que, si elle avait la chance d'avoir de bons informateurs, elle était aussi leur prisonnière.

— Je pourrai partir assez vite?

— Le temps que la voiture arrive de Ghadamès. Le chauffeur te conduira le plus rapidement possible mais il faut nous promettre de ne rien dire avant demain soir.

— Je ne peux rien dire, puisque je ne sais rien.

— C'est mieux pour toi!

C'était comme si, tout à coup, elle avait changé de monde. Le jeune Berbère était maintenant silencieux. Il avait tout dit de ce qu'il avait mission de dire. Elle avançait auprès de lui mais ils étaient redevenus deux étrangers. Elle songea avec un sourire aux affiches publicitaires qu'elle avait parfois rencontrées sur les murs de Paris et qui invitaient les touristes à venir goûter les charmes du désert. Elle se trouvait au cœur de ce charme. Il était prenant mais redoutable.

Il y avait une vingtaine de maisons habitées dans le village, et autant étaient abandonnées. Pourtant, l'école réunissait plus de cent élèves venus de tous les coins de collines où demeuraient encore une ou deux familles. Ces enfants faisaient ainsi plusieurs kilomètres à pied dans la journée pour s'instruire.

— C'est chez moi que tu vas manger, annonça le cavalier.

Sabine songea soudain à Mercure, le messager des dieux romains. Fayçal était moins orné, il n'avait pas d'ailes aux talons, comme le petit dieu de l'intaille achetée par Julien, mais il était le messager du désert, des mots d'ordre, du destin aussi, peut-être, puisqu'il la ramènerait à Gafsa.

Comme toutes ses préoccupations s'étaient faites lointaines et légères pendant ce trajet inattendu! Malgré la chaleur et la conduite de plusieurs heures, la jeune femme se sentait comme régénérée.

— Voici ma mère, fit le jeune homme.

Les deux femmes se saluèrent. Le fait que cette étrangère puisse parler avec aisance dans leur langue touchait ces paysans, choqués en général par l'invasion des touristes dans leur monde clos.

On lui apporta des dattes et du lait de brebis avec un thé rouge, très fort, puis on la laissa seule dans la pièce. Elle entendait dans la chambre voisine des conciliabules. Plusieurs voix féminines se mêlaient. Personne cependant ne se montra.

Ce fut Fayçal qui vint s'asseoir près d'elle une heure plus tard. Il avait déposé la théière sur la table après s'être lui-même servi. Maintenant, il sirotait son breuvage redoutable, si fort, si actif, qu'il permettait de n'avoir ni faim ni soif pendant plusieurs heures même par grande chaleur.

Au bout d'une heure, et alors que Sabine n'avait pas entendu le moindre bruit, il se leva en déclarant

— Voici mon ami. Vous allez pouvoir repartir ensemble.

Il sortit de la maison On perçut alors un bruit de moteur. Sabine n'osait bouger Quelques minutes plus tard, un homme d'une cinquantaine d'années entra en compagnie de Fayçal

— Voilà. Tout est prêt, dit ce dernier J'ai déjà mis tes bagages dans le coffre Vous avez aussi de l'eau, des olives et du pain On ne sait jamais. Une deuxième panne

Et pour la première fois depuis leur rencontre, il partit d'un grand éclat de rire!

Sans trop insister, elle remercia et s'installa dans la voiture, à l'arrière comme on semblait le souhaiter Le chauffeur démarra

— A demain, à Gafsa! lança-t-il avec un sourire confiant.

— A demain, répéta machinalement Sabine.

Elle tenta d'échafauder une hypothèse plausible justifiant son obéissance passive aux suggestions de ses informateurs. Et si, au contraire, la manœuvre consistait à éloigner les journalistes du théâtre des opérations?

Deux heures durant, elle respecta le silence du chauffeur. C'était un homme taciturne, aux traits sévères. Vêtu d'une chemise kaki et d'un pantalon de toile bleu marine genre « jeans », il gardait, dans cette tenue moderne, l'aspect farouche des cavaliers des grandes tribus. Il conduisait vite, assez brusquement, mais semblait connaître les routes secondaires, qu'il empruntait délibérément depuis le départ, négligeant la chaussée goudronnée.

Sabine essaya d'ouvrir un dialogue :

— Nous n'allons pas à Gabès?

— Il y a plus court, répondit-il.

— Vous faites souvent la route jusqu'à Gafsa?

— Je suis de la région, mais je travaille à Ghadamès. J'ai un commerce. Je retourne souvent dans la maison de mon père.

— Il faudrait peut-être que j'appelle Gafsa pour retenir...

— A cette époque, il y a toujours des chambres libres au *Jugurtha Palace*.

Ces répliques brèves ressemblaient fort à une fin de non-recevoir. Pour une fois, l'emploi de la langue arabe n'avait pas détendu l'interlocuteur.

« Il est peut-être comme le serveur de l'hôtel, à Gabès. Il me prend pour une espionne et se méfie », conclut-elle, renonçant à pousser plus loin l'entretien.

Calée au fond de la voiture, une D.S. en fort bon état, elle finit par s'endormir.

Lorsqu'elle se réveilla, elle avait gagné trois heures

du long trajet et se sentait beaucoup plus en forme pour affronter la nouvelle situation. Elle était bien décidée à appeler Paris dès son arrivée à l'hôtel et se réjouissait de pouvoir, dès le lendemain matin, se rendre à la municipalité pour y entendre, de la voix de quelque fonctionnaire anonyme, le verdict du destin.

Julien avait-il poursuivi sa route jusqu'à la frontière?

Il passait pour un fin limier en matière politique; peut-être avait-il été lui aussi détourné à temps sur Gafsa?

Une part d'elle le souhaitait. Elle désirait, sans se l'avouer, le revoir.

Ils n'avaient pu se croiser sur ces routes détournées. Malgré l'étrangeté de la situation, Sabine en réalité n'éprouvait aucune crainte à rouler ainsi avec un inconnu. Dans son esprit parfois romanesque, la nécessité de se rendre pour son travail à l'endroit même où d'autres impératifs, plus fondamentaux, l'appelaient, lui apparaissait comme une coïncidence providentielle, presque magique, qui lui redonnait confiance en elle.

« J'ai toujours été un peu naïve, pensait-elle, mais qui sait? »

— Nous allons rejoindre la route nationale, annonça le chauffeur. A partir de maintenant, c'est la plus courte. Nous serons bientôt arrivés.

Mais à peine avaient-ils roulé sur dix kilomètres que la voiture stoppa brutalement derrière une dizaine d'autres véhicules déjà arrêtés par un barrage de police.

A l'arrivée de la D.S., deux policiers, l'arme au poing, se dirigèrent vers eux, tandis que d'autres faisaient circuler les voitures avec de grands gestes des bras.

En une seconde, Sabine réalisa qu'elle voyageait peut-être avec un malfaiteur recherché.

— Pourquoi cette jeune femme est-elle dans la voiture? demanda le plus jeune policier.

Sabine s'interposa pour expliquer, au moins partiellement, la situation : elle avait eu une panne et avait été enchantée de pouvoir être secourue...

Le second policier, plus gradé, toucha son képi et, s'adressant en français, expliqua :

— Le barrage était pour vous, mademoiselle L'ambassade de France vous recherche. Des amis ont retrouvé votre voiture abandonnée..

— Des amis?

— Vous êtes bien Mlle Rivière?

— En effet.

— Eh bien, l'ambassadeur a téléphoné lui-même au ministre de l'Intérieur, mais nous étions assez embarrassés. On nous avait dit que vous vous rendiez à Ghadamès...

Dans le rétroviseur, le chauffeur lança un bref coup d'œil à Sabine Sans doute craignait-il qu'elle ne révélât les vraies raisons de ce changement de destination

— J'ai pensé que je pourrais plus facilement louer une bonne voiture là-bas. Il y a déjà beaucoup de touristes dans la région des oasis. Et puis, je ne tiens plus à descendre si loin en solitaire

— Mais vous êtes journaliste et vous faites un reportage? insista le policier

— Oui. Une enquête sur la femme tunisienne, affirma Sabine

Le policier fit alors le geste que la jeune femme et son compagnon attendaient avec impatience : il désigna la route et leur donna la permission de repartir

— Je ne comprends pas, murmura Sabine Je n'ai

aucune idée de la manière dont l'ambassade a été prévenue... A moins que...

— A moins? interrogea le chauffeur, plein de soupçons.

— Un diplomate français devait se rendre lui aussi à Ghadamès. Il doit y être, d'ailleurs...

Elle pensait à Julien. Etait-ce lui qui avait donné l'alarme, qui s'était inquiété pour elle?

Mais n'en aurait-il pas fait autant pour George Window ou même pour le romantique Robert?

Il fallait écarter soigneusement toutes les illusions que son amour pour Julien la poussait à entretenir. L'achat de la magnifique intaille en disait assez long. Julien pensait déjà à une autre femme.

A nouveau, sa volonté se cabra. Dans un éclair, elle rêva de revanche, envisagea une brillante carrière de grand reporter. . Mais était-elle vraiment susceptible de la mener? Depuis qu'elle avait revu son mari, depuis qu'elle avait décidé de connaître et d'affronter le mystère de sa naissance, avait-elle été capable de se concentrer vraiment sur la situation politique du pays?

Cette constatation acheva de la décourager. L'idée que Julien pouvait être tendre, amoureux, épris d'une autre, la ravageait. Un grand trouble l'avait envahie, le désir de se retrouver dans ses bras, de recevoir ses caresses, et même de subir ses colères et ses sarcasmes... Tel était désormais son besoin de Julien et elle n'avait plus le courage d'affronter la séparation.

La route ne serait plus très longue. Bientôt, sur les plaines immenses recouvertes d'un duvet d'herbe tendre et bleutée, les vapeurs du soir se lèveraient, mélangeant à l'opacité des brumes leurs nuances translucides.

La paix environnante la saisit soudain, par ce charme du désert qui opère sur l'esprit, remet en place les réalités humaines, offre au regard l'immensité de la nature

De loin en loin, un troupeau de chèvres noires dessinait comme a l'encre de Chine ses géométries sur le tapis de la steppe. Ailleurs, c'était une longue tente basse qui signifiait l'installation provisoire d'une famille nomade. Un troupeau de moutons, un ou deux chevaux ou mulets paissaient à proximité.

— La misère, dit soudain le chauffeur

Elle sursauta. Il avait sans doute remarqué, dans le rétroviseur, le regard émerveillé qu'elle posait sur la campagne si austère. Peut-être même avait-il été choqué par sa réaction, lui qui devait connaître les efforts, les problèmes, les difficultés quotidiennes auxquels étaient contraints les habitants de ces lieux.

— Vous avez raison, admit-elle. Et nous avons dépassé tout a l'heure Metlaoui et les mines de phosphate. C'est encore pire

— Vous connaissez bien le pays?

— Je le connais et je l'aime, affirma Sabine dans un élan de sincérité.

Elle aurait pu ajouter « C'est peut-être ma patrie autant que la vôtre. » Mais cela, elle ne pourrait le savoir que le lendemain, à Gafsa, dans cette ville un peu triste aux bâtiments neufs dont elle apercevait maintenant l'immense lycée Les familles des élèves vivaient soit dans les oasis, soit dans les collines arides, jardiniers ou pasteurs.

Le *Jugurtha Palace,* un des plus beaux hôtels de Tunisie, était là, au carrefour des routes menant aux oasis et aux premiers contreforts du grand désert de pierre s'allongeant vers la frontière algérienne

— Je vais vous laisser là, dit l'homme sans même se retourner vers elle. Vous allez téléphoner?

— Il faut au moins que l'on sache que je suis a Gafsa. Je ne peux pas laisser mon directeur sans nouvelles de moi.

Il éclata de rire :

— Vous pouvez toujours essayer, ajouta-t-il gentiment. Mais il n'est pas toujours facile d'avoir la ligne...

— Je ne parlerai évidemment pas au téléphone de ce que vous m'avez laissé comprendre. Je sais bien qu'ici les tables d'écoute fonctionnent dès qu'un journaliste étranger débarque.

— Pas seulement pour les journalistes étrangers, ricana l'homme. Mais quand on le sait, c'est facile de se méfier.

C'était comme s'il tentait de se racheter, au moment de se séparer de sa passagère, et de lui faire oublier tant d'heures de mutisme

— Vous devez avoir hâte de retrouver les vôtres, remarqua Sabine avec gentillesse. Merci pour les nouvelles. J'espère que je pourrai faire du bon travail.

— Vous pouvez nous faire confiance.

Elle prit elle-même sa valise et son sac dans le coffre de la D.S. et, adressant un signe amical à son compagnon de route, entra dans l'hôtel

— Nous avons reçu tout un groupe de touristes arrivés à Tozeur dans l'après-midi, mais vous avez de la chance, dit le réceptionniste, il y a encore une belle chambre avec un salon

— On m'avait dit qu'en cette saison vous aviez toujours des chambres.

— C'est vrai. Mais comme le Président de la République arrivera demain dans la région

— Vraiment?

— Oui. Il ira à l'oasis de Nefta C'est à cent kilomètres d'ici

— Je sais bien, dit Sabine, qui, tout à coup, reprise par les nécessités du reportage, faisait travailler son cerveau et envisageait déjà des hypothèses politiques inattendues.

— Tous les hôtels des oasis sont complets et nous avons reçu, nous aussi, plus de monde Ils sont tous arrivés à l'aéroport de Tozeur

« Julien aura appris bien avant moi cette visite présidentielle Il est sûrement à Gafsa », songeait-elle tandis qu'elle remplissait sa fiche en buvant le traditionnel verre de jus d'orange offert par tous les hôtels tunisiens à leurs clients en signe de bienvenue

— La visite du Président n'était pas prévue?

— Ce n'est pas une visite Il prendra quelques jours de vacances à Nefta.

Il était urgent de prévenir Duvivier Elle demanda la communication et se fit conduire à sa chambre

Consultant son carnet, elle releva l'adresse d'un coopérant français résidant à Gafsa Son directeur lui avait donné une série de contacts possibles dans les villes tunisiennes. Une voix féminine lui répondit ·

— Mon mari va rentrer dans quelques minutes Voulez-vous que nous dînions.

— Je préférerais, si cela est possible, vous voir demain, dit Sabine en espérant encore pouvoir joindre la municipalité dans l'après-midi

— Parfait. Demain, samedi, nous recevons tous nos amis. Si vous aimez danser .. Vous rencontrerez en tout cas beaucoup de nos compatriotes, si cela peut vous aider pour votre reportage

Elle reposa le combiné La jeune femme qui lui avait répondu paraissait sympathique. La perspective de la rencontrer lui donna du courage, malgré sa fatigue. Elle rappela la réception pour prévenir le journal de son arrivée à Gafsa

— Nous sommes désolés, fit respectueusement le standardiste, mais les communications avec la France sont momentanément coupées.

— Vraiment? Avec toute la France?

— Oui, mademoiselle Sitôt que le contact sera

rétabli, vous pouvez être certaine que je vous passerai votre numéro.

— Cela arrive-t-il souvent?

— Assez souvent. Peut-être même devrons-nous attendre jusqu'à demain matin.

Il n'y avait pas à protester inutilement. A Gafsa, il semblait bien que les amis de Fayçal soient nombreux et efficaces. Allait-elle avoir l'occasion d'assister à un coup d'Etat?

Aussitôt, elle pensa à Julien. Il fallait s'assurer qu'il n'était pas à l'hôtel... Non, mieux valait savoir d'abord si elle pourrait encore se rendre à la municipalité de la ville et connaître, enfin, le verdict du destin...

Une fois encore, elle fut bredouille. A partir de cinq heures et demie, on fermait les bureaux

— Mais c'est très urgent, insista-t-elle. Il n'est que cinq heures vingt ..

— Ecoutez vous-même, dit la voix patiente du réceptionniste .

Elle entendit sonner longuement le téléphone A la mairie, les fonctionnaires, sans doute, commençaient à ranger leurs dossiers et ne souhaitaient pas être dérangés à la dernière minute

Epuisée par ces tentatives inutiles autour d'un téléphone, elle choisit de faire une toilette énergique et de changer de tenue pour changer aussi d'humeur

Le spectacle de la lumière baissant doucement sur les collines désertiques l'arrêta un long moment à la fenêtre. On changeait ici de monde, presque de planète Tous les ors, tous les jaunes, tous les mauves superposaient entre ciel et terre leurs vaporeuses nuées. L'air soulevait du sol, comme un brouillard, les milliers de grains de sable et d'argile sèche venant rejoindre, à flanc de colline, les vapeurs descendant du ciel et des sommets. On aurait pu rester des heures à contempler cet envahissement du réel par l'irréel, cette métamorphose lente du jour en crépuscule.

Elle demeura longtemps penchée sur son balcon, dans la douceur et la grâce d'une atmosphère créée par le silence et les mystères du Sahara si proche. Elle avait souvent parlé à Julien du grand sud, évoqué avec lui l'inoubliable séjour qu'elle y avait fait avec ses parents...

Même ces souvenirs lui semblaient désormais étrangers. Son passé ne lui appartenait plus. Elle regardait comme une inconnue la petite fille heureuse qu'elle avait été...

En revanche, elle avait compris ces derniers jours qu'elle était restée, malgré l'absence et la rupture, la femme de Julien, que rien n'avait changé dans son désir ni dans sa tendresse. Peut-être était-il lui aussi à sa fenêtre, quelque part, à quelques mètres à peine. Elle se plut à rêver que, face à ces collines, il se souvenait des descriptions qu'elle avait faites, de leur projet de revenir ensemble en ces lieux...

« Quand on désire trop fort quelque chose, ça n'arrive jamais, ou alors, à contretemps... »

C'était la cousine Mathilde qui répétait souvent cette phrase désespérante. Sabine alors s'efforçait de ne pas la croire, de penser que cette femme dure et sévère manquait d'espérance et d'amour de la vie. Et pourtant, ce soir, Julien était peut-être en même temps qu'elle à Gafsa, séparé de sa femme par le destin contraire qui semblait impitoyablement la poursuivre.

Elle se décida enfin à descendre à la salle à manger. Elle avait revêtu une robe de toile blanche gansée de soie jaune d'or. Dans cette tenue, elle n'ignorait pas que sa beauté était mise en valeur, mais elle ne parvenait pas à s'en réjouir. Que pouvait valoir désormais la jolie Sabine, si elle ne plaisait plus à Julien de Croiseau, son mari ? Si, de surcroît, il était épris d'une autre femme et que sa fuite absurde ait creusé pour toujours un fossé infranchissable entre eux?

Les clients de l'hôtel, déjà installés dans la grande salle à manger, furent sensibles à l'arrivée de cette belle jeune femme. Des regards convergèrent vers la silhouette mince et gracieuse. Deux hommes, qui dînaient seuls, laissèrent plus longuement aller leur rêverie et lui sourirent... Elle ressentit ces hommages silencieux comme une ironie douloureuse du sort.

— Vous nous avez joué un tour, avec votre projet de départ pour Gabès! s'exclama tout près d'elle la voix amusée de l'attaché de presse français.

Sabine se retourna, surprise, et salua le sympathique Robert.

— J'allais réellement descendre jusqu'à Ghomrassen, affirma-t-elle en souriant.

— Je n'en crois rien, protesta-t-il en lui faisant signe de s'asseoir à sa table, mais c'est de bonne guerre... Je pense en effet qu'il est plus utile pour une envoyée spéciale de recueillir une interview de chef d'Etat que de courir après une révolution fantôme...

— Une interview du chef de l'Etat?...

— Je suppose que c'est pour cela que vous êtes ici?

Sabine, intérieurement amusée par la méprise, jugea inutile de détromper le jeune homme. Après tout, mieux valait ne pas entrer dans des confidences que, de toute manière, sa profession lui interdisait.

— Admettons, répondit-elle sans se compromettre. Mais vous-même, Robert, pourquoi êtes-vous ici?

— Je remonte dès demain matin; j'ai voulu prendre quelques contacts avant de rentrer

— Et... Et M Window ..

Elle pensait à Julien et espérait en avoir des nouvelles en faisant parler l'attaché

— Window s'est finalement rendu sur la frontière libyenne. Il a même rejoint Croiseau, qui doit se trouver là-bas lui aussi, pour estimer le moral des troupes. A mon avis, nous avons été victimes de rumeurs fabriquées de toutes pièces, et jamais personne n'a songé à envahir le territoire!

Tandis qu'il parlait, Sabine tentait de masquer sa déception, en même temps qu'elle découvrait avec horreur combien elle avait farouchement espéré la présence de son mari à Gafsa.

— Vous semblez sceptique? interrogea Robert.

Sceptique, elle pouvait l'être après sa rencontre avec Fayçal et le trajet mystérieux accompli avec son chauffeur de circonstance Mais trop de coïncidences avaient présidé à son périple Robert n'aurait pas pu la croire. Elle ne voulut tout de même pas le tromper complètement :

— Oui, je suis sceptique Beaucoup d'éléments concordaient pour laisser supposer une tentative. Je ne suis pas encore persuadée qu'il n'y ait pas anguille sous roche.

— Pourtant, vous vous trouvez là?

— Le destin frappe où il veut, fit-elle avec légèreté C'est peut-être ici qu'il faut être, justement

— Vous n'y songez pas! Personne ici n'est en alerte Les éléments de l'armée casernés à Gafsa font actuellement des manœuvres.

Sabine pâlit

— Des manœuvres? En êtes-vous sûr?

— Certain.

Il fallait absolument joindre Duvivier, le prévenir

— Et M de Croiseau, qui passe pour un spécialiste du monde arabe, qu'en pensait-il avant de quitter Gabès?

— Il s'est laissé convaincre par Window, qui rêve d'assister à un coup de force De plus, Croiseau n'est guère loquace et ne se livre pas facilement. Un être aussi taciturne

Taciturne, Julien? Lui qui pouvait être si enjoué, si séduisant, si plein d'humour et de charme?

— Je n'ai guère eu le temps de parler avec lui, remarqua Sabine sur un ton neutre On le dit très au courant.

— Je ne mets pas en doute ses capacités, mais seulement ses facultés de communication. Il semble mépriser tout le monde. Peut-être, après tout, a-t-il des raisons. On m'a laissé entendre qu'à Beyrouth aussi, il vit comme un ours.

— C'est-à-dire?

— Il ne sort jamais, ne voit personne, travaille aux heures les plus extravagantes, reste à l'ambassade très tard le soir

— Un diplomate exemplaire, en somme, remarqua Sabine, qu'une sorte de satisfaction curieuse envahissait

— Non. Nos fonctions ne supposent pas que nous demeurions solitaires dans les villes où nous sommes en poste

— A moins qu'une liaison secrète . plaisanta Sabine pour encourager Robert à dire tout ce qu'il savait

— Là encore, c'est le mystère Window affirme que Croiseau a été marié.

— Comment le sait-il?

— Un de ses amis a été reçu à Paris par la jeune femme de Croiseau. Une brune ravissante, paraît-il, et plus jeune que lui. Peut-être s'est-elle lassée?

Robert éclata d'un rire jeune et moqueur De toute évidence, les malheurs sentimentaux d'un homme qui passait pour un séducteur constituaient pour lui une revanche! Sabine eut alors malgré elle une réaction très vive

— Il faut que cette petite ait été sotte pour se lasser d'un mari aussi séduisant!

— Vous le trouvez séduisant?

— Très! Il est beau, il a l'air intelligent. Quant à son humeur, c'est, ma foi... oui, c'est une sorte de mystère qui ajoute à son charme...

— Voilà bien les femmes, soupira le pauvre Robert. Je vous admire, je vous lis religieusement, je m'attache à deviner ce qui pourrait vous plaire et vous me jetez à la tête que Croiseau.

— C'est parce que vous êtes encore très jeune, mon cher Robert, dans quelques années, vous serez plus impertinent, plus sûr de vous!

Pourquoi avait-elle inutilement blessé ce pauvre jeune homme? Par solidarité envers Julien, par dévouement, par amour?

Afin de se faire pardonner, elle dîna joyeusement avec son compagnon et accepta même de l'accompagner au bar pour quelques danses et une coupe de champagne. Ensuite, elle le quitta pour retrouver dans sa chambre, l'angoisse et la solitude. Demain à la municipalité...

6

Grâce au champagne, Sabine, le lendemain matin, s'était réveillée tard. Elle n'eut pas besoin de patienter pour se rendre au centre de la ville et demander le chemin de la municipalité.

Lorsqu'elle arriva devant le bâtiment, elle eut un choc : portes et fenêtres étaient bouclées. Elle avisa un gardien nonchalamment installé sur les marches du perron et demanda timidement l'heure d'ouverture de l'administration.

— Semaine anglaise ! dit-il en français. On ne travaille pas le samedi, chez nous. On ne vous l'a pas dit ?

Tout en écoutant parler le vieil homme qui la scrutait avec amusement, Sabine eut envie d'éclater en sanglots. Fallait-il qu'elle ait perdu son contrôle pour n'avoir pas songé à ce détail qu'elle connaissait parfaitement ?

Elle rebroussa chemin tristement. Autour de la piscine romaine, un groupe de touristes du troisième âge lui barra la route. Comme elle tentait de se frayer un passage, une charmante vieille dame l'arrêta :

— Vous n'avez pas vu comment ces enfants plongent ? C'est fascinant ! Venez, venez voir !

Elle obéit machinalement. Dans la piscine profonde, des gamins de cinq à douze ans plongeaient à moitié nus pour aller ramasser, au fond du bassin antique, les pièces de monnaie jetées par les touristes.

Ce manège la choqua. Il y avait là une terrible indélicatesse à transformer des enfants en vedettes de cirque...

Puis elle considéra tour à tour les mines émerveillées des touristes et les visages réjouis des enfants. Tout le monde semblait trouver son compte dans cet échange bizarre. Elle se reprocha sa sévérité.

Soudain, de l'autre côté de la piscine, une haute silhouette apparut, drapée dans un burnous de laine noire, le capuchon rabattu sur les yeux. Celui-là n'était pas un touriste. Peut-être regrettait-il, lui aussi, l'attitude des enfants de sa ville, ou jugeait-il sans indulgence ces vieux adultes aux distractions si douteuses... Le fait est qu'il fendit le groupe des vacanciers, se pencha sur le bassin et lança un ordre d'une voix rauque et brutale.

Aussitôt, comme un vol de pigeons, les enfants se dispersèrent, laissant derrière eux une rumeur de regret et de désapprobation.

L'homme alors s'accouda au bassin. Il regardait toujours le fond de l'eau. Les derniers nageurs remontaient à toute vitesse par l'escalier... Il n'ajouta pas un mot, n'eut pas un regard pour les voyageurs surpris dont le groupe se dispersait pour aller envahir, un peu plus loin, le zoo. Figée, de l'autre côté de la piscine, Sabine surveillait l'homme toujours dissimulé sous le capuchon. Elle avait la secrète conviction de le connaître, de l'avoir déjà vu... Un court moment, son imagination fantasque la poussa à croire que Julien, ainsi déguisé... C'était la même taille élancée, les mêmes épaules larges...

Comme elle se reprochait cette hallucination, elle s'aperçut que, désormais, elle et l'homme étaient seuls au bord du bassin, à portée de voix malgré l'eau brillante qui les séparait.

Mais pourquoi Julien aurait-il jeté sur ses vêtements ce burnous? Avait-il voulu la suivre, elle?

Non. Peut-être était-il ainsi déguisé pour parcourir la ville et prêter l'oreille aux propos des uns et des autres sans risquer de provoquer la méfiance?

En même temps, elle se trouvait insensée de céder à un rêve aussi fou. Julien était bel et bien avec Window, du côté de la frontière libyenne, et voilà qu'elle jouait dangereusement avec sa raison en imaginant que la silhouette élégante, immobilisée dans les plis austères du vêtement, pût être son mari.

A ce moment l'homme se releva, le capuchon tomba, une chevelure blonde et frisée apparut : ce n'était pas Julien, c'était Fayçal, souriant, qui mettait un doigt sur sa bouche avant de s'éloigner .

Réveillée de ses songes, Sabine Rivière demeura longtemps immobile au bord de la piscine, jusqu'à ce que la bande des garçons bruyants et rieurs revînt faire ses tours devant une nouvelle moisson de visiteurs aux chemises bariolées, aux shorts décontractés, aux visages rougis par un premier coup de soleil. Elle rentra alors lentement à l'hôtel, bien décidée à obtenir la communication avec Paris, puis à dormir, dormir jusqu'au soir pour oublier Julien, pour reculer de quelques heures ses vaines interrogations sur sa naissance, sur ses origines.

Elle avait espéré, en rentrant cette fois à l'hôtel, être au moins fixée sur ce point crucial. Voilà qu'elle revenait comme elle était partie, ignorante d'elle-même et indécise sur ce que l'avenir lui réserverait.

Il fallut accepter de partager à nouveau un repas avec l'attaché de presse français. Il revenait enthousiaste d'une visite au zoo de la ville Il fut intarissable, sous les yeux indifférents de Sabine qui ponctuait seulement de quelques mots ses récits détaillés.

— Surtout le mouflon! Une bête mythologique, vraiment! Il a des yeux d'or de part et d'autre de son front large et puissant, des yeux qui ne vous regardent pas...

— L'avez-vous vu de si près?

— Il n'est pas sauvage et vient jusqu'au grillage. On lui donne à manger et il n'est pas méchant. Vous allez me juger excessif, mais je l'ai trouvé aussi énigmatique qu'un sphinx!

— Je n'aurais pas imaginé, fit poliment Sabine...

— Il faudrait que vous alliez le voir! Mais je suppose que vous avez consacré votre visite de la ville à des contacts politiques?

— Politiques?

Elle fut sincèrement surprise et s'aperçut alors qu'elle faisait une bien piètre envoyée spéciale depuis qu'elle avait revu Julien. En effet, elle n'avait même pas tenté d'entrer en contact avec les habitants de la petite ville dont elle parlait pourtant si couramment la langue. Si Jean Duvivier avait pu supposer dans quelle indifférence elle accomplissait sa mission, sans doute aurait-il été gravement déçu.

Déçue, ne l'était-elle pas elle-même en se découvrant soudain dépossédée de sa « vocation »...

Julien avait peut-être raison d'ironiser sur son travail, de la considérer comme une jolie femme en révolte plutôt que comme une personne responsable...

Elle ne pouvait faire part à l'attaché français de ces considérations si personnelles. Elle lança bravement :

— Vous savez bien que je travaille en franc-tireur et que je ne montre pas mes cartes!

— Mais j'en suis sûr! Vous êtes peut-être même plus habile que Croiseau lui-même. Et, comme pour lui, le sens du mystère vous ajoute des charmes dont je suis naturellement victime!

Ces compliments agacèrent Sabine. Elle se réjouit à l'idée qu'elle serait le soir même en compagnie de personnes moins familières et certainement aussi moins empressées autour d'elle. Elle évoqua avec plaisir la voix si aimable et douce de la jeune épouse du coopérant qu'elle rencontrerait. Cela lui ferait du bien, et, s'il fallait danser, elle danserait, pourquoi pas?

A la fin du repas, elle se leva assez brusquement et prit congé du jeune homme qu'elle abandonna sans regret à ses rêveries sentimentales.

« En réalité, il est moins ridicule que moi, songeait-elle en regagnant sa chambre. Il n'aurait pas l'idée, certainement, de céder à des hallucinations comme celles qui m'ont fait confondre ce matin Fayçal avec Julien. »

— Non. La ligne est toujours coupée, affirma calmement la préposée à la réception lorsqu'elle tenta pour la énième fois d'appeler Paris.

— Alors, je devrai me rendre à nouveau à Gabès, répondit-elle. Je ne peux en aucun cas travailler dans ces conditions!

— C'est très regrettable, répliqua la voix imperturbable, mais ce n'est pas la première fois, et...

Elle raccrocha sans attendre. Elle se sentait maintenant prisonnière dans cette ville où toutes les portes semblaient se fermer devant elle. Alors qu'elle avait tant souhaité s'y trouver, voilà que Gafsa devenait le lieu de ses pires découvertes : elle était journaliste banale, elle aimait éperdument un homme qui l'avait oubliée, personne ne lui avait donné le moindre renseignement sur les conditions mystérieuses de sa naissance... Enfin, comme les gémissements de plus en plus prononcés des stores le laissaient entendre, il y aurait dans moins d'une heure une tempête de sable sur la ville!

Découragée, elle se jeta sur son lit. Le visage souriant de Fayçal lui revint a la mémoire. Ainsi, il avait rejoint lui aussi le « théâtre des opérations ». Mais quelles opérations? Pourquoi avait-elle respecte son désir de silence? Il fallait au contraire suivre le jeune homme, le convaincre de parler.

En quelques minutes, elle fut à nouveau sur pied. Gafsa n'était pas une grande ville et n'était surtout pas très étendue. Il fallait essayer de retrouver le jeune Berbère.

Bientôt, elle sillonna les rues, garant sa voiture sur les terre-pleins, visitant les marchés, les magasins, flânant même à travers le zoo où les touristes s'extasiaient devant les renards du désert, au fin museau triangulaire, aux larges oreilles pointues transformant l'animal en une sorte de fétiche plus artificiel encore qu'un jouet. Quelques mètres plus loin, elle fut attirée par les gloussements apeurés et satisfaits à la fois d'une énorme Hollandaise, vêtue d'un pantalon à carreaux, rouge et jaune, qui semblait fascinée par les iguanes.

— Préhistoire... préhistoire, disait-elle au gardien qui la regardait avec curiosité en répétant :

— Non... iguane, iguane!

Sans même sourire, Sabine pressa le pas. Il fallait essayer de traverser les ruelles enchevêtrées de la medina. Un moment, une chevelure blonde l'attira dans une poursuite de roman policier mais la piste se révéla fausse. Il s'agissait d'une ravissante Danoise et non de Fayçal.

Comment retrouver le jeune homme sans trahir le secret qu'elle s'était engagée à respecter? De plus, contrairement à celle des villes du Nord, la population de Gafsa n'était pas volubile. Au contraire, il s'agissait de gens austères, relativement silencieux et méfiants. Impossible d'entrer en contact sans avoir l'air curieuse.

Elle longea la grande caserne et vit plusieurs jeunes soldats en sortir.

« Les informations de Robert concernant d'éventuelles manœuvres ne sont donc pas sérieuses » se dit-elle, soulagée par cette constatation qui éloignait la possibilité d'un coup d'Etat.

— Venez voir, mademoiselle, proposa un marchand sur le seuil de sa boutique. Venez! J'ai des fossiles rares! Vous ne pourrez en trouver de semblables à Paris...

Un jeune marchand au sourire éclatant l'invitait à entrer dans son magasin d' « antiquités »

Certes, ils étaient antiques, les poissons pétrifiés, les coquillages fossiles s'alignant à côté des silex et des pierres plus récemment taillés, à l'aube de l'ère quaternaire, par les premiers habitants de la région!

— Tu ne connais pas un jeune homme qui s'appelle Fayçal? demanda brusquement Sabine en entrant dans le magasin

— J'en connais plusieurs, affirma l'autre, prudent Pourquoi?

— J'ai rencontré un jeune homme qui m'a dépannée l'autre jour sur la route J'aurais voulu le remercier

— Il a donc une voiture?

— Non Lorsque je l'ai vu, il était à cheval, reconnut Sabine, qui enchaîna, croyant le rassurer

— Pourrais-je voir ce grand coquillage?

Il le lui tendit et affirma

— Je ne connais pas de Fayçal qui ait un cheval

— Combien, ce coquillage? insista Sabine

— Il n'est pas à vendre

— Pourquoi?

— Il n'est pas à vendre D'ailleurs, aujourd hui je dois fermer plus tôt et il vaudrait mieux

Intriguée Sabine tenta de discuter Elle était sûre désormais que le vendeur de fossiles connaissait bel et bien Fayçal mais qu'il était décidé à ne pas l'avouer

— C'est dommage que je ne puisse retrouver ce jeune homme, ajouta-t-elle en soulevant un gros oursin ocre qui avait gardé pour l'éternité sa forme parfaitement régulière de fleur de pierre.

— Il fallait lui demander où il habitait.

— Sur le moment je n'ai pas voulu lui paraître encombrante. Il m'avait beaucoup aidée. Oh! Un hippocampe! Mais où trouve-t-on...

— A Tamerza. Il y a aussi là-bas des silex taillés. Malheureusement, maintenant, je dois fermer...

Elle ne pouvait plus insister. Pour donner le change, elle ajouta :

— Je reviendrai demain matin Je veux avoir le temps de choisir.

Elle s'éloigna de la boutique mais tourna dans la première rue pour attendre un moment Elle voulait s'assurer que le commerçant allait fermer, comme il l'avait affirmé

Tandis qu'elle surveillait de loin le magasin le jeune homme en effet sortit pour tirer son rideau de fer Il ne fut pas le seul à agir ainsi De part et d'autre de la ruelle, d'autres vitrines furent bouclées

Sabine, mécontente d'elle même, se reprocha les soupçons qu'elle avait nourris vis-à-vis du marchand C'était sans doute la coutume dans cette région de fermer très tôt

Il ne lui restait plus qu'à rejoindre l'hôtel et à se préparer pour la soirée chez les coopérants En passant à la réception pour prendre sa clé, elle éprouva une dernière désillusion pendant son absence, on avait téléphoné de Tunis. Une certaine Leila Choukri qui rappellerait le lendemain dans la matinée et qui avait précisé qu'on ne pourrait l'atteindre pendant la soirée Elle avait manqué la seule occasion offerte dans cette journée pour obtenir les précieux renseignements qu'elle attendait

Il fallait réagir En rentrant dans sa chambre elle

résolut de se farder soigneusement, de faire honneur à ses hôtes.

Une touche de rouge sur les joues, un peu de bleu aux paupières ravivèrent son regard. Dans la glace, malgré ses soucis et sa tristesse, Sabine reconnut le visage charmant qu'avait aimé Julien. Pour tenter de secouer sa mélancolie, elle fit à ce reflet fidèle de grandes grimaces de petite fille et se surprit à sourire.

La sonnerie du téléphone retentit.

— On vous appelle de Gabès.

— Oui. Passez-moi la communication.

— Allô? Mademoiselle Rivière, n'est-ce pas?

— Mais.

— Oui. C'est moi. Je te félicite de ta discrétion et de la manière dont tu gardes pour toi des renseignements qui auraient pu peut-être épargner une catastrophe!

C'était Julien. Brisée d'émotion et de surprise, elle se laissa glisser sur son lit. Elle ne comprenait même pas à quoi il faisait allusion, tant elle était bouleversée de l'entendre à nouveau, et au moment où elle avait presque renoncé à cet espoir

— Je ne comprends pas, murmura-t-elle

— Inutile de feindre la timidité! Tu nous as laissés partir à la frontière libyenne sans essayer de nous prévenir

— Mais, moi-même, je devais aller

— C'est Duvivier, sans doute, qui t'a dicté cette conduite! Il te fait jouer les espionnes internationales!

— Mais enfin, pas du tout. Si je suis à Gafsa.

— Inutile de me fournir des explications fausses. Je ne t'appelle pas pour en avoir, d'ailleurs. Je te prie seulement de ne plus quitter l'hôtel jusqu'à ce que je te rejoigne!

— C'est impossible, voyons. Je dois me renseigner

— Tu n'es que trop renseignée! C'est par égard pour un certain passé que je te préviens. Reste dans ta chambre et ne quitte l'hôtel sous aucun prétexte! Tu dois bien savoir de quoi il s'agit...

Tandis que la voix de Julien martelait ces ordres incompréhensibles, elle tentait de trouver une justification à son attitude Peut-être éprouvait-il du dépit à avoir été renseigné plus tard qu'elle Mais sur quoi? Le projet évoqué par Fayçal était flou, rien ne prouvait qu'elle n'ait été en présence d'un de ces perpétuels agitateurs, un peu mythomanes, qui annoncent facilement de grands désordres, des révolutions ou la fin du monde Alors, que voulait Julien?

— Nous pourrons parler si tu viens, dit-elle timidement. Je je pourrai même peut-être expliquer enfin.

— L'essentiel pour l'instant est que tu restes à l'hôtel. Dommage, tu avais un compagnon agréable en la personne de notre attaché de presse, mais j'ai le regret de te dire que mon ambassadeur l'a rappelé et qu'à l'heure qu'il est, il se trouve dans l'avion qui le ramène vers Tunis!

— Qu'est-ce que tu veux que cela me fasse?

— Rien. Je suis sûr qu'il aura dès ce soir un remplaçant!

— Julien, je

Elle avait faillit dire « Je t'aime toujours », mais elle se retint. Dans son désir de se venger, Julien tentait de l'empêcher de travailler, de la mettre en faute vis-à-vis du journal et de son directeur

— Alors? Tu resteras à l'hôtel? Je pars tout à l'heure pour Gafsa.

— Désolée, mais il se trouve que mon travail passe avant tes caprices et que je dois justement sortir ce soir pour voir des informateurs.

— Tu sais pourtant.

— Non. Je ne sais rien. Toi non plus, sans doute Mais, puisqu'il ne se passe décidément rien, il se pourrait que j'essaie d'obtenir une interview, ou un entretien, avec le Président de la République

— Je regrette beaucoup ma démarche, alors. Tu ne veux rien comprendre, rien admettre S'il arrive quelque chose, sache que je n'aurai aucun remords et que j'oublierai vite.

— Je sais que tu as « déjà oublié »! s'écria Sabine en éclatant en sanglots.

— Sabine!

C'était la première fois qu'il l'appelait par son prénom, sans ironie Mais il fallait lui cacher qu'elle pleurait. Elle raccrocha.

Elle pouvait maintenant se laisser aller à son chagrin. Pendant une heure les efforts de maquillage se transformèrent en rigoles multicolores, tachant l'oreiller sur lequel elle s'obstinait à refermer les bras en invoquant désespérément Julien. Hélas, lorsqu'elle ne le voyait plus, il lui manquait, elle souhaitait le revoir, et lorsqu'il intervenait à nouveau dans sa vie, elle retrouvait sa cruauté, son désir de vengeance, le mépris qu'il avait désormais pour elle.

A nouveau s'offrit à sa mémoire la visite tardive, en cette fin d'après-midi, deux ans plus tôt. Ce soir-là elle avait introduit dans le salon un visiteur apparemment banal. Pourtant, celui-ci, comme dans les romans, avait entièrement changé sa vie . Comme ses parents adoptifs avaient eu tort de ne pas lui dire la vérité! Dans quel piège l'avaient-ils ainsi involontairement placée?

La voix douce du visiteur résonnait à ses oreilles

— Mais alors, la petite fille qu'ils avaient adoptée?

Et elle se souvenait de l'horreur qu'avait été pour elle cette brutale révélation. Mais elle avait ramassé son courage pour répondre

— Je ne sais vraiment pas!

Et le visiteur était reparti en croyant avoir eu affaire à une quelconque locataire de la maison de ses anciens amis. C'était pourtant la petite fille adoptée qui avait refermé sur lui la porte à son départ.

Avant de quitter la maison, ce jour-là, elle avait pensé une seconde à téléphoner au notaire de ses parents. Mais elle savait que celui-ci avait rencontré Julien avant leur mariage. S'il avait connu la vérité, c'est à elle qu'il se fût adressé, et non à celui qui n'était même pas encore son mari.

Un coup d'œil à sa montre lui donna la force de se secouer. Tout était à recommencer Maquillage, sourire à la glace Elle n'eut pas assez de courage et quitta sa chambre en hâte, de peur de pleurer à nouveau.

La 404 n'eut pas plus d'un kilomètre à parcourir en ville pour se retrouver devant une coquette villa, au jardin rempli de palmiers et de fleurs.

— Nous vous attendions avec impatience Je m'appelle Florence, dit une jeune femme blonde qui attendait devant la grille

Elle entra dans une atmosphère de fête Il y avait là plusieurs très jeunes couples, quelques bambins très audacieux dans leurs déplacements entre les jambes des adultes et une musique endiablée, répercutée par un électrophone dernier cri Presque pas de meubles dans la grande pièce où des coussins et des tapis voisinaient avec de grandes tables arabes basses, couvertes de bouteilles et de plats.

Sabine se sentit tout de suite étrangère à l'insouciance générale Ces « jeunes » avaient tous à peu près son âge Elle se sentait vieille auprès d'eux

— Mes élèves m'ont fait une farce assez bonne, expliquait Bertrand, le mari de Florence Je leur faisais une dictée. Au lieu d'écrire le texte, ils ont rédigé chacun autre chose!

— Mes cinquièmes n'ont pas autant d'idées, constatait mélancoliquement un barbu, assis en tailleur devant une assiette copieusement remplie.

— Mais voyons! Tu enseignes les mathématiques et tu veux que tes mômes aient des idées!

Tous éclatèrent de rire.

Ils devaient rire très souvent.

— On couche les enfants? demanda Florence à la cantonade.

— D'accord, dirent trois jeunes garçons en jeans, tout en saisissant chacun un des petits garçons qui rampaient entre les tables.

Sans un cri, sans une protestation, les trois enfants quittèrent la pièce avec leurs pères.

Sabine les vit partir avec tristesse Elle aussi aurait aimé avoir des enfants de Julien · Mais, désormais, les enfants de Julien, s'il en avait un jour, ne pourraient être aussi les siens.

— Vous paraissez fatiguée, fit Florence en s'approchant. Je vais vous servir. Ensuite, vous nous demanderez ce que vous voudrez, nous serons heureux de parler de nos expériences ici

Elle se laissa faire, heureuse d'être ainsi prise en charge même le temps d'une soirée A sa gauche, deux autres garçons discutaient politique Trois femmes, assises en rond un peu à l'écart, parlaient tennis

Quand pourrait-elle vivre ainsi, avec naturel, sans se poser des questions aussi fondamentales que celles qui la poursuivaient depuis deux ans?

Bertrand et sa femme vinrent s'installer près d'elle Ils racontèrent leur vie, leurs bonnes relations avec les voisins, leur plaisir de vivre en pleine ville arabe et de jouir de deux terrasses et d'un toit également propice aux bains de soleil et aux soirées fraîches en été

— Nous sommes très heureux.

— C'est si passionnant!

— Nous avons découvert

Autant d'hommages à la Tunisie, à la vie aussi ; une vie simple et tranquille entre gens qui entretenaient des rapports d'amour et d'amitié et qui accomplissaient avec cœur et dévouement leur travail de professeur

Pour eux tous, rien ne pouvait arriver dans la ville de Gafsa. Mais alors, pourquoi Fayçal s'y promenait-il dissimulé sous un capuchon, pourquoi lui avait-il fait signe de se taire?

— Vous dansez?

C'était le barbu mathématicien. Sabine se leva et le suivit sur une terrasse transformée en piste de danse

— Vous faites un métier tellement exaltant! Et nous sommes bien contents de vous lire, vous savez. J'espère que vous parlerez de nous dans votre reportage?

— Sans aucun doute, affirma Sabine, qui n'était même pas sûre de pouvoir obtenir Paris dans la soirée pour pouvoir dicter son papier.

Le barbu ne dansait pas très bien. Elle le remarqua avec irritation, car cela lui rappela aussitôt Julien, leurs sorties, les réceptions auxquelles ils avaient assisté ensemble

— Je vous ennuie peut-être? demanda le jeune barbu

— Non, non, pas du tout, répliqua Sabine qui avait perdu le fil de la conversation. Ce que vous dites est si intéressant! Je note dans ma tête et c'est ce qui vous donne l'impression...

— D'accord. Alors je continue. Il y a des gosses qui mangent de la viande une fois par mois seulement, par ici...

Les heures filèrent. Peu à peu, gagnée par l'ambiance et par la gaieté de ses hôtes et de leurs invités, Sabine se détendit, retrouva une partie de sa jeunesse, de sa force de vie. Pour encourager cette métamorphose, elle n'hésita pas à accepter de boire un peu d'alcool. Bientôt, ses éclats de rire furent aussi clairs et spontanés que ceux de ses compagnons. La légère torpeur provoquée par le cognac lui donnait une vision très atténuée des problèmes et une grande acuité de jugement. Elle remarqua les flirts qui s'ébauchaient, les approches plus timides, l'amour tranquille et avoué des trois couples dont les enfants dormaient maintenant dans une pièce du premier étage. Avec ces gens, la vie était simple et belle. Et Sabine, depuis quelques heures, trouvait elle aussi que la danse, la musique, les plaisanteries sans prétention constituaient une manière de vivre bien agréable.

On lui demanda aussi des détails sur son métier. Malgré sa totale absence de conviction, elle donna une définition enthousiaste du journalisme. Le barbu en conçut une considération supplémentaire pour elle. Ils dansèrent plusieurs fois de suite ensemble, puis Bertrand, le maître de maison, vint l'inviter... Elle était maintenant bien présente au milieu de cette joyeuse assistance et ne pensait pas à rentrer.

A minuit, de nouveaux invités arrivèrent. C'étaient cette fois des Tunisiens. On s'empressa de leur présenter Sabine.

— Mais je ne savais pas que vous étiez à Gafsa, fit l'un d'eux, un homme d'une quarantaine d'années. Mlle Choukri, que vous connaissez, m'avait dit que vous viendriez me voir la semaine prochaine.

Sabine le regarda avec étonnement et répondit :

— Vous êtes un ami de Leila Choukri?

— Je suis président de la municipalité de Gafsa.

Elle éprouva comme un choc. Cet homme était

peut-être parfaitement au courant de son passé. Allait-il maladroitement y faire allusion en public?

— De toute façon, enchaîna-t-il, je suis à votre disposition à partir de lundi .

Accaparé par les autres assistants, il s'éloigna d'elle Comment faire pour obtenir de lui le maximum de renseignements au cours de la soirée?

On servait à nouveau du thé à la menthe Florence avait appris à le faire comme une Tunisienne et recevait les félicitations de ses hôtes avec fierté.

— C'est une voisine qui me l'a enseigné Je ne comprenais pas qu'il fallait laisser cuire un peu le thé et rajouter la menthe fraîche au dernier moment.

Sabine, son verre à la main, avançait vers l'endroit où s'était installé le président de la municipalité Il parlait avec animation à trois interlocuteurs attentifs. Elle se joignit à eux et s'assit sur le tapis.

— Nous vous donnerons la grande salle des fêtes, disait-il. Vous pourrez facilement monter une estrade et ménager, même, des coulisses.

— Nous mettons au point un spectacle avec les enfants de toutes les écoles du gouvernorat, expliqua un des coopérants en se tournant vers Sabine. Nous ferons cela à Pâques. Monsieur nous prête le local et aussi quelques assistants techniques.

— Quelle pièce allez-vous représenter? demanda la jeune femme

— *L'Avare* de Molière, annonça le fonctionnaire tunisien en souriant. L'une des scènes sera jouée entièrement en langue arabe

— Molière se prête admirablement à cette langue, ajouta un Français. De plus, cela nous assure le concours de plusieurs arabisants...

Pour Sabine cette conversation était de peu d'intérêt par rapport à celle qu'elle souhaitait avoir avec l'homme qui avait sans doute eu entre les mains le dossier d'une petite fille née à Gafsa vingt-cinq ans plus tôt... Elle regardait avec intensité le visage souriant et gai... Elle hésitait encore à poser une question directe. Puis, soudain, ce fut lui qui se pencha vers elle et murmura :

— Vous êtes venue pour me voir, sans doute?

— D'une certaine manière, oui. En tout cas, je suis allée ce matin à la municipalité mais tout était fermé .

— Comme tous les samedis, répondit-il avec un sourire. Et vous êtes impatiente, je suppose, de savoir ..

Il s'était levé Elle en avait fait autant. Il l'entraîna discrètement vers l'une des terrasses.

— Je ne voudrais pas vous importuner pendant cette soirée, remarqua-t-elle .

— Leila Choukri m'a expliqué que vous ne pouvez rester très longtemps ici et que votre travail vous prenait aussi beaucoup de temps. J'ai consulté votre dossier et j'ai transmis tous les renseignements à Mlle Choukri, à Tunis. Elle devait vous appeler ce soir

— Elle a téléphoné en mon absence; c'est pourquoi je ne suis pas encore au courant de des circonstances de ma naissance

— Je puis déjà vous dire

Ce fut au même moment que les premiers coups de feu éclatèrent

7

Sur le moment, l'assistance saisie se tut brusquement Tout le monde tendait l'oreille et demeurait figé, incrédule

Etait-ce la bruyante arrivée de la tempête de sable qui les avait ainsi surpris?

Une nouvelle rafale secoua l'air et fit trembler les vitres ouvertes.

Comme pour conjurer le danger par une attitude magique, personne n'osa crier ni bouger Les tirs se multipliaient maintenant

Ce fut Florence qui déclencha la panique en se précipitant vers son mari et en s'exclamant :

— Ecarte-toi de la fenêtre, écartez-vous tous, rentrons dans la maison Montons au deuxième étage

— Ce doit être une explosion, un accident, déclara le barbu sans quitter la terrasse Il faudrait peut-être aller voir

— Ne vous affolez pas. Je crois que ce sont des coups de fusil Il se passe quelque chose Il faut téléphoner tout de suite à la gendarmerie, affirma Bertrand en haussant le ton pour tenter de rétablir le calme

Au deuxième étage, les enfants réveillés en sursaut se mirent à pleurer. Trois adultes se précipitèrent dans l'escalier en criant des paroles rassurantes.

Sabine, elle, venait de comprendre brusquement

que les événements pressentis risquaient de se dérouler dans les prochaines minutes. Il fallait obtenir Paris au plus vite Le président de la municipalité n'aurait plus de sitôt l'occasion de la renseigner, car, dès les premiers coups de feu, il s'était rué vers la sortie Elle l'avait vu traverser le jardin comme une flèche Lui aussi avait sans doute réalisé aussitôt le danger

Tout le monde était maintenant réuni dans le salon Les trois petits enfants, dans les bras de leurs mères, pleuraient à l'unisson. La présence de ces petits, affolés, contraignait les adultes à un certain sang-froid, mais tous étaient pâles.

Soudain, la fusillade s'arrêta

Bertrand revint alors dans le salon et déclara :

— Il n'y avait même pas de permanence à la gendarmerie Ils devaient s'être tous rendus sur les lieux

— Dans la rue tout le monde crie et s'interpelle, remarqua le professeur de mathématiques, que cette demi-panique semblait exciter

— C'est peut-être un homme qui est devenu fou, suggéra Florence Un soir, à Versailles, lorsque j'étais encore petite fille, notre concierge s'était ainsi barricadé Il tirait dans la rue On n'a pas pu le prendre avant le lendemain matin

Sabine songeait à Fayçal, au salut joyeux qu'il avait adressé à son ami lorsque la voiture avait démarré « A bientôt, à Gafsa ! » s'était-il exclamé

— Il se pourrait que ce soit une tentative de coup d'Etat, annonça-t-elle posément Le téléphone est dans la pièce du fond ?

— Oui, dit Florence

— Je voudrais avoir Paris.

Elle sortit de la pièce De grands cris retentirent dans la rue, tandis que les coups de fusil, plus nourris, reprenaient leur musique menaçante

Malgré la situation alarmante, elle obtint le journal sans difficulté. La ligne sans doute avait été rétablie, ou, plus exactement, elle n'avait sans doute jamais été coupée que par le standardiste du *Jugurtha Palace* !

— Appelez immédiatement Nefta, hurla Duvivier, que les nouvelles imprécises de son envoyée spéciale irritaient et intéressaient prodigieusement. Je vous envoie quelqu'un aussi vite que possible, mais, en attendant, il faut tenir le coup. Allez voir ce qui se passe. Nous devons rester en contact

Elle appela aussitôt le *Sahara Palace,* lieu de résidence du chef de l'Etat pour des vacances qui s'annonçaient bien mouvementées.

— Nous n'avons rien à dire, répliqua le standardiste Rappelez demain Le Président se repose Il ne reçoit personne

— Mais la situation est grave, semble-t-il, insista Sabine Un entretien avec le Président ou avec son chef de cabinet

On avait raccroché

Il fallait téléphoner de nouveau à Paris, mais, auparavant, elle devait essayer de comprendre ce qui se passait

Lorsqu'elle tenta de rejoindre le salon, la situation, de toute évidence, s'était aggravée Les hommes, rampant sur les tapis, accumulaient des coussins contre les fenêtres. Une vitre était brisée et les débris étaient tombés dans la maison

— Ce sont des roquettes, la ville est attaquée! s'écria le barbu Tout le monde dans les chambres ! Elles donnent sur les cours.

Sabine se dirigea vers une des fenêtres. Une rafale tirée vraisemblablement d'un toit la plaqua elle aussi contre le tapis.

— Il est inutile de bouger, déclara Bertrand qui tenait sa femme par la main Attendons un peu

Sabine prit une décision. Il fallait essayer d'avoir une vue plus large du quartier. Pour cela elle devait coûte que coûte parvenir jusqu'au toit en terrasse...

— Où allez-vous, mademoiselle Rivière, cria Florence, revenez!

Sabine ne répondit pas. Elle était déjà au second étage et pénétrait à tout hasard dans la première pièce rencontrée. Là, s'accroupissant, elle avança progressivement vers la haute fenêtre. Elle se sentait en sécurité. Les bruits de fusillade lui paraissaient provenir de la direction opposée.

Il lui fallut plusieurs minutes pour oser s'approcher de la vitre... Lorsqu'elle put jeter un coup d'œil dans la ruelle, elle dut se cramponner à l'espagnolette pour ne pas tomber : il y avait trois cadavres dans la cour voisine et deux autres sur une terrasse.

Elle se retrouva presque sans en avoir conscience à l'étage du dessous, dans la pièce où était le téléphone Les bruits de combat s'amplifiaient De toute évidence, on se battait dans la medina avec des armes tactiques et des roquettes. L'affaire était sérieuse

— Comment étaient les morts? interrogea Duvivier, que les nouvelles semblèrent allécher...

— Comment ils étaient Mais. ils étaient morts, voilà tout!

— Ce n'est pas ce que je veux dire, s'impatienta le directeur Je voudrais savoir comment ils étaient habillés, s'ils sont jeunes ou vieux Y a-t-il des femmes?

Lorsqu'elle raccrocha pour la deuxième fois, Sabine était écœurée Si son métier devait la transformer un jour en amateur de catastrophes, si elle devait un jour s'attacher à des détails sordides alors qu'il y avait mort d'hommes, mieux valait donner tout de suite sa démission à Duvivier!

A ce moment, tout près d'elle, une balle ricocha sur le mur Elle s'écarta en étouffant un cri Pour la première fois depuis le début des événements, elle venait de comprendre que sa vie pouvait être en danger. Jusque-là, elle avait vécu la fusillade comme une sorte de cauchemar qui ne pouvait pas la concerner. Les paroles de Julien lui revinrent brusquement en mémoire : sans doute avait-il tenté de la prévenir en lui interdisant de quitter le *Jugurtha Palace*...

Au salon, ils étaient tous allongés par terre, maintenant, et les enfants serrés dans les bras de leurs mères ne pleuraient plus.

Le barbu demanda en voyant entrer Sabine :

— Vous avez eu le *Jugurtha Palace?*

— Non. Mais j'ai prévenu Paris. Nous avions des soupçons depuis quelques jours... Une attaque libyenne Il est probable qu'il s'agit de cela.

— Mais l'armée? Nous avons une caserne dans la ville! s'écria Florence

— L'armée est en manœuvre depuis deux jours, répliqua Sabine Nous risquons de devoir attendre ici un bon moment avant d'être secourus.

— Mais enfin, ils ne vont pas tuer tous les habitants un à un, cria une autre jeune femme qui semblait au bord de la crise de nerfs.

— Certainement pas, dit Sabine, comprenant que sa position de journaliste lui donnait une certaine autorité Mais mieux vaut ne pas tenter une sortie dans les rues.

— Il y a des tireurs sur les toits, affirma Bertrand Il y en a peut-être même sur notre toit, car j'ai entendu des bruits de course au-dessus de nos têtes!

Le salon, si paisible et si gai deux heures auparavant, ressemblait déjà à un radeau de naufragés.

— Je dois essayer d'avoir quelques précisions. Je ne peux rester avec vous Je vais essayer de monter sur le toit

— Je vous accompagne, fit le barbu en se levant pour traverser la pièce.

Des cris d'horreur s'élevèrent. Une balle venait de traverser la vitre et s'était écrasée sur le mur opposé. Elle était passée à quelques centimètres de la tête du professeur de mathématiques. Celui-ci avait pâli mais, sans s'arrêter, il rejoignit Sabine dans le couloir.

— Je suis obligée de faire mon métier, dit-elle, mais vous feriez mieux de rester ici...

— Pour qui me prenez-vous? Je ne laisserai pas une femme être plus courageuse que moi!

— Ce n'est pas du courage. Je n'ai pas le choix. On me paie pour être sur place et pour essayer de voir le maximum de choses...

— N'insistez pas, je suis gascon, déclara avec une certaine emphase le jeune coopérant. Je préfère mourir plutôt que trahir mes convictions! Montons par l'escalier. Nous verrons bien.

Ils progressèrent avec rapidité, car cet endroit de la maison était bien protégé par l'épaisseur des murs. Une trappe permettait d'accéder au toit. Ils choisirent d'attendre un moment Mieux valait essayer de savoir si le toit était occupé par des tireurs, comme l'avait supposé Bertrand.

— Pas moyen d'entendre, grogna le professeur de mathématiques. Ces foutues roquettes font un boucan de tous les diables!

— Je n'avais jamais entendu ce bruit, sauf dans les films de guerre

— Moi, c'est la même chose! avoua le Gascon Mais on a vite fait le lien quand on risque d'en recevoir sur la tête!

— Les gens sont sortis dans les rues au lieu de rester chez eux, murmura Sabine, pensive Il y aura beaucoup de morts.

— Vous croyez vraiment?

— Il y en a cinq de l'autre côté de la maison, observa-t-elle, les larmes aux yeux. Ils n'avaient même pas d'arme Ils sont tombés comme des mouches.

— Ils ont cru sans doute que c'était la révolution. Ils sont tellement pauvres qu'ils souhaitent n'importe quel changement même le pire!

— Vous connaissez bien les problèmes de la région, n'est-ce pas?

— Oui. J'ai beaucoup d'amis tunisiens.

— Maintenant, vous allez m'aider à grimper, proposa la jeune femme Je vais risquer prudemment un œil. Faites-moi la courte échelle Je redescendrai aussitôt.

— Mais pourquoi essayer le toit? C'est le plus dangereux.

— On a de là une vue sur toute la ville et sur la caserne. La seule manière d'apprécier la gravité de la situation.

Ils parlaient de plus en plus fort pour s'entendre, bien qu'ils fussent tout près l'un de l'autre. Les fusillades étaient effroyablement nourries et le bombardement des roquettes achevait de les assourdir

Le jeune homme s'approcha de la lucarne qui ouvrait sur le toit et mit ses mains en étrier Sabine n'hésita qu'une seconde et, s'appuyant avec habileté, atteignit l'espagnolette. Un hélicoptère tournoyant se trouva aussitôt dans son champ de vision.

Avançant prudemment les mains sur le rebord de la terrasse, elle put jeter un coup d'œil dans la direction de la caserne. Dans la cour, il s'était passé quelque chose d'effroyable. Des corps gisaient sur le sol. Des hommes en treillis, fusils en joue, surveillaient les toits environnants. La jeune femme, bouleversée, sauta à terre auprès de son compagnon en balbutiant

— Ils ont tué tous les soldats! C'est un massacre.
— Qu'avez-vous vu? demanda le barbu avec la même sérénité que s'il se fût trouvé sur une plage éloignée du monde.
Elle expliqua.
— Je vais voir, dit-il avec scepticisme.
Sans doute la soupçonnait-il d'avoir exagéré l'ampleur de la situation.
— Faites bien attention.
Mais le professeur de mathématiques avait déjà bondi avec une détente surprenante et prenait pied sur le toit en terrasse. Impuissante, Sabine leva les yeux vers lui. Le vacarme environnant les empêchait d'échanger une parole à cette distance pourtant courte.
Pendant presque cinq minutes, le jeune coopérant demeura sur son perchoir, les pieds dans le vide et la moitié du corps couchée à découvert sur la terre battue du toit.
Puis le sifflement des balles se rapprocha brusquement. Sabine vit les grandes jambes battre contre le mur de la pièce, et le barbu redescendit. Sain et sauf
— Vous m'avez fait peur...
Mais le Gascon, si disert jusque-là, était pâle. Il se fit comprendre autant par gestes et par signes que par la parole
— Il y a des tireurs sur les toits. Nous sommes encerclés. Ils ont fait sauter des soldats par les fenêtres de la caserne. Ils sont dans les locaux et aussi dans les maisons. Nous risquons autant en restant là qu'en partant...
« Ne quitte pas l'hôtel avant de m'avoir vu », avait recommandé Julien. Mais pourquoi n'avoir pas été plus explicite
— Il faut essayer de prévenir le plus de monde possible tant que le téléphone marche, dit brusquement Sabine en quittant son compagnon.

Il dévala après elle les marches menant au premier étage.

— Rentrez à l'intérieur, quittez ce salon, hurla le barbu en direction de ses amis. Nous sommes encerclés. Il s'agit de Libyens, si j'en juge par les uniformes que j'ai pu entrevoir. Ils sont armés jusqu'aux dents, ils ont des grenades aussi...

Sabine avait constaté avec soulagement que, dans le désordre général, la ligne téléphonique fonctionnait toujours. Elle appela le *Jugurtha Palace*

— Vous êtes la journaliste? demanda la réceptionniste Alors, vous n'êtes pas morte?

— Pas encore, répliqua Sabine, n'ayant en cette circonstance aucune envie de faire de l'esprit. Qui vous a dit...

— Le monsieur qui est venu vous chercher .. Il dit qu'il est votre mari... Nous n'avons pas pu lui dire où vous étiez... Il paraît que vous êtes attaqués?

Sabine donna l'adresse où elle se trouvait, tenta d'expliquer...

— Ici, nous avons ordre de ne laisser partir personne. Nous avons mis des chambres à la disposition des gens qui viennent de Gafsa. Il y a des blessés...

— Si vous voyez le monsieur...

— Justement. Nous n'avons pas pu l'empêcher de repartir. Comme il a un passeport diplomatique... Je n'ai pas osé...

— S'il revient, donnez-lui mon adresse, dites-lui que la situation est très difficile...

— Tout le monde est au courant. Il y a des bataillons qui sont arrivés par avion... Ici, c'est plus calme. Ils sont passés avec des haut-parleurs. Ils ne veulent pas faire de mal...

Sabine raccrocha, furieuse. Qu'avait fait Julien? Où était-il maintenant dans la ville embrasée?

Elle alla retrouver les autres au milieu de la

maison. Ils étaient tous à plat ventre, visiblement terrorisés. Elle ne vit pas le professeur de mathématiques...

— Il a dit qu'il y a un blessé sur le toit, expliqua l'une des jeunes femmes qui, dans cette tourmente, faisait prendre un biberon à son bébé qu'elle avait couché sur le tapis et qu'elle protégeait de son corps...

Une horrible bourrasque semblait avoir soufflé dans cette villa joyeuse. Sabine décida d'aller rejoindre le Gascon intrépide et de l'empêcher de monter à nouveau sur le toit.

Lorsqu'elle arriva dans la petite pièce du second étage, c'était trop tard La lucarne ouverte sur la nuit zébrée d'éclairs prouvait assez qu'il avait commis l'imprudence de sortir à découvert...

Un blessé Elle songea à Julien S'il était lui aussi touché, dans une de ces ruelles, n'irait-elle pas le retrouver pour tenter de le secourir?

Sans réfléchir, elle redescendit pour prendre dans la maison une chaise et la plaça au-dessous de la lucarne pour tenter d'apercevoir le barbu...

Deux formes confuses bougeaient dans la pénombre

— Rentrez tout de suite, dit-elle.

Mais qui aurait pu l'entendre dans le vacarme tragique de bruits de grenades, de coups de fusil et de cris indistincts? Prenant appui sur le rebord du toit, elle se hissa dans un effort désespéré et parvint à se coucher sur la terre battue Dans la caserne, toutes les lumières étaient éteintes La fusillade s'intensifiait vers l'ouest de la ville La terrasse n'était plus traversée de tirs Le barbu avait peut-être estimé avec sagesse la situation en choisissant ce moment pour secourir le blessé Elle ne se montrerait pas plus lâche que le jeune homme Chez les Puymorens, on n'avait jamais eu peur Ses ancêtres Et, sans plus réfléchir, elle rampa courageusement vers les deux fantômes s'agitant dans cette nuit sinistre.

— Il est atteint aux jambes. A deux, nous pourrons l'amener dans la maison...

Il parlait en se penchant sur son oreille. Sabine lui fut reconnaissante de ne pas s'étonner de sa présence sur le toit.

— Il perd du sang, murmura-t-elle tandis qu'elle sentait sous ses mains un liquide tiède et faisait un effort pour ne pas se trouver mal...

Alors surgit l'hélicoptère!

Elle cria d'effroi. Le barbu se jeta vers elle et la coucha tandis qu'un projecteur les inondait soudain de lumière

Tout se passa très vite. Deux soldats descendaient déjà par l'échelle de corde avec une civière.

— Croix-Rouge! annoncèrent-ils. Restez couchés.

— Il y a des gens dans la maison, protesta le barbu, des femmes et des enfants!

Sabine se sentit prise à bras-le-corps par deux mains solides. Elle tenta de se débattre, plus par panique irraisonnée que par appréhension consciente On la hissait par l'échelle de corde derrière le blessé ficelé à sa civière Une seconde, elle revit des scènes de films qu'elle avait jugées outrées ou ridiculement romanesques La vie pouvait offrir des confrontations brutales entre la réalité et la fiction

L'hélicoptère les enlevait déjà dans la nuit infernale Au-dessous d'eux, les balles sifflaient encore, un incendie allumait vers l'ouest de la ville sa mise en scène délirante Elle vit aussi les phares des voitures militaires.

Accroupie près de la civière où gémissait le blessé, elle n'osait faire un mouvement ni même poser une question Deux soldats étaient aux commandes de l'appareil Elle et le blessé étaient les seuls passagers de l'étroit habitacle qui voguait comme un bateau sur la nuit déjà moins épaisse et traversée par les premières lueurs de l'aube.

Elle eut une pensée pour son directeur! Le pauvre Duvivier, si assoiffé de sang, de blessés, de spectacles propres à faire monter, le lendemain, la vente de son journal, aurait été sans doute très fier de savoir que son envoyée spéciale voyageait ainsi dans les airs parmi les balles. Un fou rire nerveux la saisit. Ces quelques heures passées dans la panique générale l'avaient écœurée. Elle avait compris que son rôle, dans cette catastrophe, n'était pas de compter les blessés, mais de les aider. Elle ne serait plus jamais journaliste, elle n'aurait plus jamais ce regard indifférent sur le monde et ses semblables, et si, par bonheur, elle retrouvait un jour Julien...

Et passant brutalement du rire aux larmes, elle sanglota, épuisée, découragée, avec en elle la conviction d'avoir perdu toute chance d'oublier son mari et de commencer une vie nouvelle.

L'aube naquit peu à peu sous les pales de l'hélicoptère. Au fur et à mesure que l'appareil sortait ainsi, comme par magie, de la nuit, Sabine parvenait à refouler ses larmes. A côté d'elle le blessé bougea, posant une main sur son bras. Dans un geste spontané de solidarité, elle prit la main de l'homme et la serra doucement.

— On va te soigner, dit-elle en arabe Ne t'inquiète pas.

L'homme alors souleva le pan du burnous qui cachait son visage Ses traits crispés par la douleur n'empêchèrent pas la jeune femme de le reconnaître

— Fayçal!

— Quand j'ai compris qu'ils tueraient les nôtres, j'ai voulu aller prévenir, expliqua-t-il Ça n'était pas entendu comme ça Les Libyens nous ont trahis!

Sur le visage énergique coulaient des larmes. Sabine, bouleversée, n'osait dire un mot.

— Pourquoi ont-ils fait cela? poursuivait le jeune cavalier dont la résistance avait craqué, pourquoi? Maintenant, c'est nous qui sommes des traîtres!

Que lui dire?

— Tu n'étais pas armé, Fayçal, on ne peut rien te reprocher...

— J'étais avec eux. Tout était entendu autrement. Ils ont massacré nos frères, ils ont tué les soldats de la caserne! Tous! Ils sont tous morts!

De grandes zones de lumière rose envahissaient le ciel. on n'entendait plus les rumeurs des combats. Elle se trouvait assise contre ce blessé qui pleurait, à des kilomètres de son pays, de son mari..

Mais saurait-elle un jour quel était son pays, et avait-elle encore un mari?

Une grande amertume l'envahissait. Il faudrait retourner en France, affronter les nécessités quotidiennes de sa vie de femme seule. Tout était sa faute Elle n'avait pas fait confiance à Julien. Si elle lui avait avoué tout de suite. Non. Elle n'aurait jamais accepté qu'il la garde par pitié, qu'il compatisse Jamais. Les Puymorens n'acceptaient la pitié de personne depuis des générations! Les Puymorens.

L'hélicoptère descendait verticalement vers l'aéroport de Tozeur Sabine serrait toujours la main de Fayçal Elle avait mal au cœur et ses yeux étaient pleins de larmes, comme ceux du blessé

8

La civière fut rapidement emportée par les deux soldats, qui avaient sauté à terre. Ce fut un groupe de civils qui accueillit Sabine.

— Vous êtes coopérante ? lui demanda-t-on.

Elle expliqua sa situation.

— Ils n'ont pas proposé de vous déposer au *Jugurtha Palace* ? questionna un des hommes.

— J'ai été recueillie en même temps qu'un blessé. Son état nécessitait sans doute une intervention d'urgence, il avait reçu plusieurs balles et saignait beaucoup.

— On vous fera reconduire. Il faut que vous veniez avec nous. Ce sont les militaires qui commandent la région en ce moment. Vous êtes journaliste française ?

— En effet, c'est ce que je vous ai dit. D'ailleurs, voici ma carte.

Elle accompagna les cinq hommes qui l'entouraient vers le petit bâtiment de l'aéroport. Là un officier, assis derrière un minuscule bureau, lui redemanda ses papiers. Il n'était pas aimable. Il interrogea brutalement.

— Pourquoi étiez-vous à Gafsa ?

Elle s'en tint à la version qui ne compromettait personne.

— Je voulais descendre à Ghadamès, mais ma voiture a eu une panne. J'ai préféré remonter vers Gafsa. J'étais en reportage.

— Je ne peux pas vous laisser repartir avant d'avoir reçu des ordres. Vous allez rejoindre les autres On vous a groupés dans la salle d'embarquement

— J'aurais aimé appeler Paris

— Pour l'instant, c'est impossible On se bat encore dans Gafsa et nous avons trouvé des rebelles dans les montagnes environnantes.

Il ajouta avec sévérité ·

— La situation est très sérieuse

— Je m'en suis rendu compte, riposta Sabine, un peu agacée par les soupçons qu'elle déclenchait

— Nous autres, nous n'aimons pas beaucoup que les journalistes se mêlent de ces affaires!

Elle quitta le bureau sans répondre D'une certaine manière, elle ne regrettait pas tellement de ne pouvoir joindre son directeur Il ne manquerait pas de lui demander un article « haut en couleur » sur les événements.

Elle rejoignit, dans la salle où ils s'entassaient, des Tunisiens et des Français, les uns venus de Gafsa et des hameaux voisins, les autres faisant partie de groupes de voyages organisés Certains tentaient de protester ·

— Nous voulons rentrer Il est inadmissible que l'agence ne nous rapatrie pas immédiatement sur Tunis! s'exclama une ravissante blonde en short très court Si nous ne pouvons visiter les oasis

— Et puis, nous risquons notre vie à demeurer ici Si la Tunisie est envahie, nous risquons d'être pris comme otages! Ce serait affreux, ajouta une dame d'un âge certain dont le décolleté audacieux surprenait en cette situation de panique

Sabine alla s'installer près de la baie vitrée et s'assit par terre Elle commençait à ressentir les conséquences de tant d'émotions accumulées

Soudain, un militaire entra dans la salle et déclara

— Mademoiselle Sabine Rivière!

— C'est moi

— On vous cherche depuis hier soir Votre journal a déposé une réclamation auprès du ministère de l'Information Suivez-moi

Soulagée, Sabine se prit à espérer qu'on la laisserait regagner Tunis. Décidément, son directeur n'était pas si horrible puisqu'il s'était officiellement inquiété d'elle Elle eut des remords de l'avoir si sévèrement jugé pendant la nuit.

— Où m'emmenez vous? demanda t-elle au jeune officier

— Nous allons vous servir du café chaud et un repas Il y a un ordre qui est arrivé Nous devons vous remettre à un diplomate français qui répond de vous.

— Mais où est-il?

— Il vous attend à Tozeur

— A Tozeur?

— Il est arrivé dans la nuit. L'affaire était déclenchée depuis trois heures Nous l'avons arrêté, mais tout s'est arrangé. De toute façon, toutes les routes vers Tunis sont barrées.

— Pourrai-je téléphoner à Tunis?

— Nous sommes isolés, je vous le répète Vous n'avez qu'à patienter Nous aurons bientôt la situation en main

On la fit monter dans une jeep de l'armée D'autres personnes l'y suivirent Il s'agissait de paysans de Tozeur que l'on avait voulu interroger sur les mouvements des étrangers dans leur ville

Ils conversèrent volontiers avec Sabine, surpris de voyager avec cette jeune Française qui parlait leur langue

— Chez nous, il ne s'est rien passé, précisèrent ils

Mais il y avait beaucoup de Libyens depuis plusieurs jours. Ils venaient de Tunis par avion On n'avait pas de raison de se méfier

— Taisez-vous! cria le chauffeur Vous n'avez pas à raconter les secrets de l'armée Elle est journaliste! Attention!

Les paysans sourirent avec sympathie à Sabine, tout en faisant des gestes d'impuissance

Deux avions militaires traversèrent paisiblement le ciel La jeep aussitôt ralentit

— Ce sont les nôtres, annonça fièrement le chauffeur

Et il accéléra de nouveau

Sabine cherchait le moyen de joindre Tunis. Peut être Julien pourrait-il obtenir la communication Elle voulait obtenir Leila Choukri La seule qui pût en ce moment lui donner les renseignements qu'elle attendait avec tant d'impatience Le président de la municipalité ne lui avait-il pas dit qu'elle connaissait désormais la teneur du dossier?

La jeep les déposa devant la maison du parti dans une ville silencieuse où circulaient de rares passants. Il était dix heures du matin. Le soleil déjà haut dans le ciel, jouait avec les palmiers.

Lorsqu'elle descendit de la jeep, ou plutôt, lorsqu'elle sauta derrière ses compagnons, Sabine n'eut pas le temps de retrouver ses esprits, qu'elle se trouvait déjà face à face avec Julien

— J'ai eu tes hôtes de Gafsa au téléphone

— Quand?

— Rassure-toi, ils ont été évacués vers le *Jugurtha Palace* Il paraît que tu recueilles les blessés sur les toits! Très touchant!

— C'est par hasard Il se trouve que j'essayais de voir ce qui se passait

Elle était surprise de répondre à cet interrogatoire

sévère sans protester, comme elle aurait jugé légitime de le faire

— Par ta faute, nous voilà bloqués dans la région Il devient impossible de rentrer à Tunis.

— Mais pourquoi?

— Parce que là-bas personne ne sait rien. Ou presque Les journaux seront muets sur cette affaire jusqu'à ce que l'armée reprenne la ville et arrête tous les rebelles. Ils se sont enfuis dans les montagnes mais continuent à tirer Ils étaient armés comme pour une attaque de grande envergure.. Heureusement qu'ils manquaient d'entraînement!

Sabine eut une pensée pour le pauvre Fayçal, si enthousiaste et naïf à la fois, et qui devait être rongé par le remords. Si toutefois il était encore vivant. .

— Je voudrais téléphoner à Tunis, dit-elle à voix basse

— Pour essayer d'alerter ton journal, je suppose, ironisa Julien. Le grand Duvivier s'impatiente, sans doute! Il t'a même fait officiellement rechercher!

— Je sais, fit Sabine, vexée. Peut-être ces égards te paraissent-ils injustifiés?

Il la saisit aux épaules et la poussa violemment à l'écart, sous l'œil stupéfait du militaire et des autres assistants. Il semblait à bout de patience

— Il y a douze heures que je te cherche, figure-toi! Pourtant, je t'avais bien recommandé de ne pas quitter l'hôtel!

— Je n'étais pas là en villégiature, comme tu t'entêtes à le penser, répondit-elle, humiliée de se voir ainsi traitée S'il se passait quelque chose de grave, il fallait bien que je tente de le savoir Tu ne m'as rien dit de précis, d'ailleurs.

— Comment l'aurais-je pu? Je m'étais engagé à ne rien dire par téléphone J'ai pensé que tu aurais eu un peu plus confiance Il est vrai que tu as tellement changé!

— Changé? Parce que je ne suis plus aussi docile et

Mais elle s'arrêta, les larmes aux yeux Pourquoi tenter de tenir tête? Mieux valait essayer d'obtenir qu'il l'aidât à appeler Leila

— On t'a préparé une petite collation Ces messieurs du parti ont été très aimables J'ai affirmé que nous étions parents

Ils pénétrèrent ensemble dans le bâtiment officiel Deux Tunisiens s'avancèrent à leur rencontre

— Nous sommes ravis que vous ayez retrouvé votre cousine, fit le plus jeune On nous avait dit que vous étiez un grand ami de notre pays. Nous aurions été désolés qu'il puisse arriver quelque chose à Mademoiselle

— J'aimerais surtout pouvoir obtenir une communication pour Tunis, dit Sabine

— C'est impossible, mademoiselle, répondit l'autre avec une moue de regret. Les ordres sont formels La région est complètement isolée Nous ne voulons pas créer de panique alors qu'il n'y a aucune raison d'être inquiet

Sabine songea aux militaires tués dans leur caserne, à l'attaque en règle de la ville de Gafsa, aux armes qui avaient été utilisées. L'optimisme du responsable était il tellement justifié? Au contraire, le bouclage absolu de la région trahissait une incertitude et la persistance d'une menace

Julien s'attabla en face d'elle Il avait l'air fatigué Sa chemise de toile bleu ciel était froissée et il avait abandonné sa veste sur le dossier de son siège Ainsi vêtu, le col ouvert, il paraissait plus jeune et plus fragile à la fois. Malgré sa fatigue, une grande émotion saisit Sabine

— C'est donc si urgent, ce coup de fil? demanda Julien Si c'est pour rassurer ton amoureux, c'est déjà fait l'ambassade a été prévenue par les militaires de Tozeur

— Ce qui prouve que les communications ne sont pas toutes rompues, remarqua Sabine, reprise par la colère De toute façon, ce n'était pas à votre attaché que je voulais parler

— Je suis désolé d'avoir l'air indiscret Je suis sûr que tu avais de bonnes raisons mais, que veux tu, lorsqu'on se met dans des situations impossibles

— Je te signale tout de même que je ne suis pas responsable de l'attaque de Gafsa et que ce n'est pas moi qui avais organisé ce massacre!

— Cela te fournit tout de même une expérience romanesque! Une ville attaquée, un blessé recueilli sur une terrasse sous les étoiles! C'est magnifique pour lancer la carrière d'une grande journaliste Inconsciente comme tu l'es, tu n'as pas songé un instant, sans doute, que ç'aurait pu être la fin de cette carrière!

— Je ne pouvais pas faire autrement!

On lui avait servi des dattes, du jus de fruit, un café, des olives et du pain sans levain Elle mangea avec application, les yeux baissés sur les différentes assiettes dans lesquelles on avait disposé cet en-cas si caractéristique

— Nous allons nous sauver d'ici, murmura t il en se rapprochant d'elle au-dessus de la table

Elle lui jeta un coup d'œil surpris

— Comment?

Dans le regard vert de Julien brillaient des paillettes presque bleues Il semblait avoir mis au point quelque plan dont il était satisfait

— Tu continues à manger tranquillement Je m'éloigne et vais prendre ma voiture Je l'ai louée ce matin. Nous remonterons par un chemin qui nous permettra de trouver un téléphone

— Oh oui! s'exclama-t-elle C'est si urgent pour moi!

— Peu importe, coupa-t-il, soudain redevenu sévère. Le téléphone, c'est surtout pour moi, qui ai des gens à prévenir en dehors des circuits diplomatiques..

« Il veut rassurer la femme qu'il aime », pensa Sabine Et tout à coup, la vie à nouveau lui parut terne et désespérante Alors, il fallait oser refuser l'offre

— Qui t'a dit que j'accepterai de venir avec toi? lança-t-elle sur le ton le plus méprisant qu'elle put trouver

— Je ne te demande pas ton avis. Nous sommes ici dans une zone peu sûre et nous sommes aussi, vaguement, prisonniers. Je ne m'accommode guère de cette position. Toi-même

— Soit, admit Sabine, qui en réalité ne se sentait pas la force de demeurer une fois encore sans Julien.

— Alors je te quitte. Je prépare la voiture. Je la garerai derrière la porte du fond Je t'y attendrai. Rejoins-moi dans cinq minutes en ayant l'air de te promener dans le jardin. C'est faisable D'ailleurs, tu es une excellente comédienne et je suis bien placé pour l'affirmer!

Il sortit sans lui laisser le temps de riposter Malgré cette dernière impertinence, elle savait bien qu'elle lui obéirait, comme elle l'avait toujours fait autrefois, parce que la présence de Julien auprès d'elle la mettait en état d'obéir, que c'était là l'effet d'une sorte de magnétisme que la séparation n'avait pas atténué

Elle continua à déguster les dattes sucrées, transparentes comme des boules d'ambre et si savoureuses Puis, lentement, elle se leva.

Groupés devant le bâtiment, les militaires et les

civils, absorbés dans une conversation animée, ne prêtèrent pas attention à cette jeune femme allant et venant sous les palmiers. Elle put s'approcher sans incident de la porte de fer . La voiture et Julien l'attendaient. Elle franchit la grille sans hésitation et referma bientôt sur elle la portière

Quelle joie insensée venait donc l'envahir, maintenant qu'elle se retrouvait assise auprès de son mari dans une voiture qui, pourtant, risquait d'être arrêtée d'un moment à l'autre par une patrouille bien armée?

Ils traversèrent très lentement la ville afin de ne pas alerter les quelques groupes placés dans les carrefours et, bientôt, ils roulaient calmement sur la route goudronnée, en direction de Nefta.

— Allons-nous rendre visite au Président de la République? demanda-t-elle en riant.

Il se retourna vers elle, visiblement surpris par le ton de vraie gaieté de sa voix.

— Non, pas de mondanités de ce genre Nous allons rouler pendant assez longtemps. Il y a des bouteilles d'eau minérale dans la voiture et j'ai aussi prévu des vivres et des couvertures.

— Des couvertures?

— Les nuits sont fraîches au Sahara!

— Mais enfin, nous n'allons pas passer

A nouveau son cœur battait. Pourquoi Julien envisageait-il cette étrange équipée? Etait-ce vraiment pour pouvoir donner quelques coups de téléphone? L'idée de passer la nuit dans la montagne en compagnie de son mari la bouleversait. Ah, si au moins elle avait pu savoir à temps qui elle était, qui était la petite fille abandonnée à l'hôpital de Gafsa vingt-cinq ans plus tôt.

Il prit son silence pour une bouderie et, haussant les épaules, poursuivit le trajet sans ouvrir la bouche

C'était l'heure la plus chaude et il faisait très beau

Pas le moindre vent sur les plaines qu'ils longeaient, immobiles, à peine ondulées de légers mouvements de terrain. C'était, à perte de vue de part et d'autre de la route, l'immensité du grand Sud.

Tout à coup, Julien fit obliquer la voiture vers une route étroite et caillouteuse. Son visage était sombre. Sabine le regardait à la dérobée, à la fois émue et blessée par son attitude.

La piste s'enfonçait dans les derniers contreforts de la steppe. C'était un changement de direction très notable. On obliquait ainsi vers le nord-ouest. A l'horizon moutonnait déjà le cirque des montagnes désolées, sans un arbre, sans une herbe, blanches silhouettes de sable et de sel traversées de veines brunes ou roses qui semblaient dessiner une architecture plus robuste, soutenant les masses crémeuses.

Au-dessus d'eux, le ciel moins pur, moins bleu tournait à des transparences plus profondes.

— Je ne te connaissais pas cette vocation d'infirmière, observa enfin Julien.

— D'infirmière?

— Dame! Aller ramasser les blessés sur les toits!

Il ne semblait pas prendre sa remarque très au sérieux.

— Je n'ai pas eu le choix, répondit-elle avec sincérité.

— D'autres auraient agi différemment. Il paraît que tu étais à découvert. Je dois reconnaître que tu t'es bien conduite! L'esprit des Puymorens t'aura inspirée!

Elle eut l'impression de recevoir un coup de poignard. Bien sûr! Julien avait épousé une Puymorens et, s'il restait encore en lui quelque capacité d'estime, c'était aux Puymorens qu'il en attribuait le mérite. Dès lors, comment aurait-il jamais admis d'avoir pour femme une enfant abandonnée?... Oui, elle avait bien agi en quittant la maison, ce soir-là. Il eût été plus humiliant encore de devoir quitter Julien sur son ordre...

— Je te remercie de cet hommage, répondit-elle d'une voix affermie...

— Il est vrai, ajouta-t-il, plus grinçant, il est vrai que le blessé était peut-être un charmant cavalier!

— Comment le sais-tu? s'écria-t-elle malgré elle

— Pourquoi? J'ai deviné?

Elle rougit, confuse de s'être laissé prendre Puis elle expliqua :

— C'était un homme de la tribu de zlass. Il est assez connu dans la région. C'est sans doute en effet parce qu'il est très beau que j'ai essayé de le sauver! Puisque tu le dis, c'est sûrement vrai!

— Je n'ai pas dit tout à fait cela, admit Julien plus conciliant. Je. Je voulais plaisanter Tu es tellement sombre et ombrageuse En réalité, on m'a dit que le pilote de l'hélicoptère était terrifié pendant le sauvetage parce que les balles sifflaient de tous les toits.

— Le blessé s'appelle Fayçal. C'est lui qui m'a détournée sur Gafsa. J'allais à Ghadamès. Et puis ma voiture est tombée en panne

— Je sais bien. Nous nous sommes inquiétés avec Window en la trouvant sur le bas-côté de la route. Nous avons lancé un avis de recherche...

— J'ai pu avoir une voiture et un chauffeur pour venir à Gafsa. Fayçal avait, je pense, organisé en partie cette attaque mais elle a tourné autrement qu'il ne le prévoyait...

— S'il a organisé le soulèvement des partisans prolibyens, ton beau cavalier ne sera pas pansé mais pendu! s'exclama Julien avec dans la voix une nuance de triomphe

— Les cavaliers zlass ont toujours été rebelles à tous les pouvoirs. En réalité je suis sûre que Fayçal aimait beaucoup son pays, protesta Sabine qui se souvenait de la manière impérative avec laquelle le jeune homme s'était gendarmé contre les petits baigneurs de la piscine romaine. Oui, il avait le sens de la dignité!

— Mais tu le connais décidément très bien, ce Fayçal que tu appelles si familièrement par son prénom, ricana Julien qui avait retrouvé soudain toute son agressivité. Je suis vraiment le seul à n'avoir jamais l'occasion de profiter de la beauté de ma femme!

Et, stoppant brusquement, il saisit Sabine, l'attira contre lui et, l'embrassa avec brutalité. Horrifiée, elle comprit une fois encore qu'elle serait incapable de résister à ses caresses. Un grand trouble déjà l'avait saisie et elle se débattait faiblement entre ses bras, heureuse malgré tout de retrouver la chaleur du grand corps musclé. L'espace d'une seconde, ses mains entourèrent la nuque de Julien.. Aussitôt, il se redressa, ironique, maître de lui.

— Je suis ravi de constater que j'ai conservé mes chances, fit-il avec mépris, mais la route est longue et nous ne pouvons nous attarder!

Elle chercha vainement une réplique cinglante Il n'y avait, hélas! que de l'amour en elle, pour cet homme cruel qui n'avait pas soupçonné une minute que son départ ait pu être justifié par un drame. Non, il n'avait pensé qu'à l'aventure, à l'adultère!

Désormais, devant eux, il n'y avait plus de piste, mais l'étendue soyeuse du sable recouvrant, cachant sournoisement les accidents du terrain.

— Mais s'il n'y a plus de piste, nous risquons de nous ensabler! Comment dégagerons-nous les roues?

— Pas le choix. Il faut passer par là. Lorsque nous aurons atteint la montagne, il n'y aura plus rien à craindre. à part les rebelles bien sûr, mais à mon avis ils n'ont pas eu le temps matériel de se retrancher si loin.

Le soleil éclatant faisait vibrer, au-dessus des

étendues blanches, une sorte de vapeur dansante qui brouillait la vue, donnant à cette équipée un caractère de rêve éveillé.

Sur la gauche, au loin, un mirage rose proposait ses maisons fantomatiques, ses palmiers au bord d'une eau qui ne désaltérait jamais aucun voyageur.. Le mirage, c'était aussi sa vaine espérance de retrouver un jour Julien lorsqu'elle aurait percé le mystère de sa naissance... Mirage aussi pernicieux que celui qui avait fait mourir de soif tant de voyageurs sur les pistes blanches...

Soudain, Julien freina à nouveau, tandis que le cœur de Sabine se remettait à battre, à la fois d'émotion, de désir et de peur.

La voiture fit un écart et s'immobilisa sur la gauche

— Qu'y a-t-il? demanda-t-elle

— Il y a que je ne suis pas sûr de passer Nous allons essayer de vérifier à pied C'est une méthode artisanale qui a fait ses preuves mais qui n'est pas absolument infaillible Descends avec moi...

Ils se trouvèrent tous les deux face à face dans ce désert rose et diaphane au bout duquel palpitait la montagne encore inaccessible

— Donne-moi la main, dit Julien, je ne te mangerai pas.

Elle obéit.

— Etends le bras, comme moi, et marchons dans le sable. Il faut nous assurer que la voiture pourra passer.

Elle fit ce qu'il demandait Ils progressèrent ainsi pendant une centaine de mètres, s'assurant de la présence d'une terre bien ferme sous le sable. Tout à l'heure, la voiture pourrait passer dans leurs traces sans risquer de s'ensabler.

Malgré les émotions de la nuit, la fatigue, le découragement, il restait encore en Sabine assez d'enthousiasme romanesque et d'amour pour qu'elle n'éprouve que la joie de sentir sa main enfouie dans celle de Julien. Il la serrait entre ses doigts souples et forts, et, se maintenant l'un l'autre à cette étrange distance délimitée par leurs deux bras, ils avançaient dans la lumière nacrée.

— Ça suffira, dit Julien. Après, la piste est plus accidentée et cela nous aidera à passer du bon côté.

Il l'avait lâchée et faisait déjà demi-tour.

Autrefois, ils auraient ri ensemble de ce trajet effectué si loin l'un de l'autre alors qu'ils marchaient toujours si tendrement enlacés. Mais Julien avait oublié ces mois de bonheur. Son orgueil et sa méfiance l'avaient emporté sur les chemins de la rancune, et peut-être même de la vengeance Autrement, pourquoi se serait-il acharné ainsi à la retrouver, durant ce séjour en Tunisie? Car il l'avait poursuivie, alors que, pendant deux ans, il n'avait accompli aucune démarche pour exiger d'elle une explication. S'il l'avait fait, peut-être...

Elle entendit à nouveau la voix de Julien qui, quelques instants auparavant, faisait encore allusion aux Puymorens.. Certes, le destin allait les séparer plus impitoyablement que la pire des querelles.

En retrouvant la voiture, chacun s'installa à sa place avec une apparente indifférence, qui était en contradiction avec l'intense sentiment qu'ils avaient d'exister seuls sur la terre dans ce paysage dont l'homme paraissait totalement absent.

Perdue dans ces souvenirs des dernières heures dont les images revenaient frapper sa mémoire, alors que, sur le moment, elle les avait vécues dans la précipitation et la peur, Sabine revit le visage souriant du président de la municipalité arrivé si tard chez ses amis. Si cet homme avait eu le temps de lui parler, elle serait maintenant délivrée de ses interrogations et des illusions qu'elle continuait à entretenir malgré elle, surtout depuis qu'elle avait une fois encore retrouvé Julien.

Dans son désarroi, elle songea une minute à tenter d'oublier, à faire comme si le visiteur importun n'avait jamais sonné à sa porte, n'avait jamais parlé... Mais alors, comment justifier un jour aux yeux de Julien son départ, sa fuite?...

Et puis, n'était-il pas trop tard? Elle s'en persuadait un peu plus au long de ce trajet insensé qui les menait vers le haut de la montagne. L'homme qu'elle observait à la dérobée n'était plus celui qui l'avait aimée. Julien de Croiseau était capable de sauver par humanité un être humain qu'il savait en danger et elle s'était trouvée elle-même en péril... Il n'y avait dans son attitude aucune preuve d'amour.

On avait enfin retrouvé la piste. La voiture montait lentement vers le village de Tamerza. Au fur et à mesure que la montagne les enveloppait, un paysage grandiose s'ouvrait de part et d'autre de la route côtoyant l'abîme.

— Tout de même! Un cavalier zlass! s'exclama soudain Julien avec cruauté. Quelle belle prise pour une amazone! Tu as décidément fait d'étonnants progrès!

— Je ne trouve pas la réflexion particulièrement spirituelle, dit froidement Sabine.

— Mille excuses! Il est vrai que tu es désormais habituée à l'humour viril de ton ineffable directeur!

Négligeant l'attaque, Sabine, piquée par ce procédé, se retourna vers son mari et articula d'une voix suave :

— Tu n'as pas faim? Moi, si.

— Nous serons à Tamerza dans quelques minutes, objecta-t-il. Ne m'avais-tu pas dit, autrefois, qu'il y avait là un endroit agréable près d'une cascade?

Des larmes lui vinrent aux yeux à cette évocation. Ainsi, il se souvenait de ce qu'elle lui avait dit de cette route, du souvenir qu'elle en avait gardé malgré sa jeunesse Mais il s'en souvenait pour lui rappeler froidement la présence d'un café confortable .

— Je pense en effet qu'il est raisonnable d'attendre. Peut-être même pourrons-nous trouver dans le village un téléphone en état de marche .

« Téléphoner à Leila Choukri, en finir avec les doutes et les espérances, regarder la vérité en face, tout dire à Julien, avoir le courage d'être digne et déterminée .. » En était-elle capable, alors que depuis plusieurs heures, son corps autant que son esprit cédaient à nouveau à l'envoûtement? De toute son âme, elle aurait souhaité pouvoir pencher sa tête lasse sur l'épaule de Julien, nicher dans son cou un tendre baiser...

Ils arrivaient dans un village désert, désolé, mais dont les maisons, bâties en pierres jaunes, semblaient avoir poussé naturellement, être issues de la montagne, n'être chacune qu'un rocher de plus dans le vaste paysage.

— Il faut trouver la cascade, dit Julien.

— Je crois que je peux te conduire, regarde, il faut prendre par là. Ensuite, nous garerons la voiture pour y accéder à pied.

Comme une lame d'argent, la cascade fendait les roches rousses et ocrées avec ce bruit qui, après l'aridité du désert, semble miraculeux. L'eau déferlait ensuite joyeusement dans les canaux préparés pour la recevoir.

— Vous venez de Tozeur? demanda un jeune garçon en s'avançant pour leur proposer des fossiles.

— Oui, dit Sabine en arabe Nous voudrions aussi téléphoner.

— Je vous conduirai chez mon père, alors...

— Et prendre un repas.

— L'hôtel des Paillottes, n'est-ce pas? fit le jeune

marchand d'un air dédaigneux. Ils vous offriront seulement des boissons. J'espère que vous avez de quoi manger...

— En effet, dit Julien Mais c'était surtout pour téléphoner que nous étions venus.

— Quelles sont les nouvelles dans la région? questionna négligemment Sabine, voulant vérifier que personne encore n'était au courant de l'attaque de la nuit.

— Jamais rien de bien neuf! Nous attendions ce matin trois cars de touristes qui ne sont pas passés. Ils ont dû s'arrêter aux souks de Tozeur. S'ils passent trop tard ici, c'est une journée perdue pour nous.

C'était un constat mélancolique. Tamerza, avec ses quelques habitants, vivait du commerce des fossiles, des silex et des géodes, ces pierres rondes comme de vieux boulets, qui, une fois fendues habilement par le milieu, livraient leurs somptueuses architectures de sel gemme

Pour consoler le jeune garçon, Sabine choisit plusieurs fossiles et deux géodes d'un poids respectable.

— Allons chez mon père, puisque vous voulez téléphoner, dit-il, c'est de l'autre côté de la rivière

Ils traversèrent les canaux sur des troncs de palmier jetés par-dessus les rives. Ce fut un jeu qui dissipait comme par magie la tension qui les dressait sans cesse l'un contre l'autre. Ils adressèrent tous deux un sourire au vieillard vénérable qui les introduisit dans son échoppe sombre.

— Le téléphone est tout au fond..

Julien déposa un billet sur le comptoir improvisé . une longue planche poussiéreuse sur laquelle dormaient d'autres coquillages, d'autres poissons pétrifiés par des millénaires...

— J'y vais, fit Sabine...

Et elle passa sans façon devant les trois hommes

pour appeler Tunis. Il était cinq heures de l'après-midi. Leila était encore à l'hôpital. Bientôt, la voix claire et gaie de l'assistante sociale lui adressa un joyeux bonjour :

— Il paraît qu'il y a eu une petite émeute à Gafsa Heureusement que vous n'y étiez pas encore .

— Vraiment?

— Oui. La radio dit que ce n'était rien. Tout est rentré dans l'ordre.

Ainsi, les autorités tunisiennes avaient bel et bien réussi à noyauter les nouvelles et à empêcher des réactions dans les autres provinces et dans la capitale.

— Vous. . Vous avez eu des nouvelles de la municipalité? demanda Sabine en baissant la voix et en regardant Julien

Mais les trois hommes semblaient absorbés par une conversation animée

— Une seconde, je prends mes papiers, j'ai tout noté. Je pensais que vous m'appelleriez ce matin Voilà . Je commence . D'abord, vous n'êtes pas tunisienne, et ça, je le regrette un peu, mais pour vous qui avez été élevée par des Français, c'est mieux, plus facile...

— Oui, c'est vrai.

La voix de Sabine tremblait, et aussi tout le corps, comme si une grande fièvre s'était abattue sur elle.

— Votre mère avait dix-huit ans et se nommait Sabine de Clerveau. Elle venait d'Algérie, où elle vivait avec ses parents. Elle est arrivée à Gafsa avec son fiancé par la route. Tous deux s'étaient enfuis. .

— Et mon père était...

— Jacques de Puymorens.

— Jacques de Puymorens! s'exclama Sabine Mais c'était le jeune frère de ma mère adoptive! Il est mort l'année de ma naissance Elle me disait toujours qu'elle avait eu en quelques semaines le plus grand chagrin et la plus grande joie ..

— Votre père vous avait reconnue, ajouta Leila, mais, lorsque votre mère est morte, le lendemain de votre naissance, il vous a laissée...

— Sans doute pour prévenir sa sœur Il était très jeune, n'est-ce pas?

Tandis qu'elle parlait, la voix brisée, Sabine laissait couler ses larmes, sans souci de Julien ni des deux inconnus, sans souci même du lieu où elle se trouvait...

— Votre père avait dix-neuf ans, dit tristement Leila, compatissant à sa manière à l'émotion que ses renseignements provoquaient.

Elle ajouta, presque timidement :

— Sabine, j'espère que nous nous reverrons malgré.

— Mais bien sûr, mais bien sûr, Leila; vous avez été si bonne C'était un tel cauchemar, j'avais si peur, si peur...

— Tous les papiers sont à Gafsa, ajouta Leila avec scrupules. Il serait bon que vous les consultiez...

Mais Sabine n'entendait plus Leila, ni même, penché au-dessus d'elle, Julien qui l'interpellait. Elle avait perdu connaissance et le fil du téléphone pendait, balançant avec insouciance le récepteur

9

Lorsqu'elle reprit connaissance, elle était étendue devant la porte de la petite boutique et Julien lui soutenait la tête et les épaules, tandis que le vieux marchand, ému et paternel, tentait de lui faire avaler un verre d'eau de fleur d'oranger

Son premier sourire fut pour le vieillard penché sur elle

— Elle va bien, lança joyeusement le jeune marchand, c'est la chaleur En France, vous n'avez pas l'habitude!

— Qu'est-ce qui s'est passé? demanda Julien calmement Une mauvaise nouvelle? Tu es tombée tout d'un coup

— Une très bonne nouvelle au contraire, dit Sabine, mais peut-être ne te concerne-t-elle plus.

— Parle plus clairement, et d'abord, repose toi encore un peu Non! Il ne faut pas encore te lever Tu risques.

Mais elle avait bondi sur ses pieds. Le cauchemar qu'elle avait vécu s'était si brutalement évanoui qu'elle avait l'impression d'être un peu ivre Sa tête était vide Elle avait besoin de marcher, d'écarter les bras, de parler, de sauter même, comme une enfant

Elle se retourna pour contempler les trois hommes stupéfaits. Leur mine contrariée lui parut très comique, et elle se laissa aller à un rire nerveux qui acheva de les alarmer...

Julien s'avança vers elle :

— Tu n'es pas bien, je t'assure Peut-être le soleil...

— J'ai l'habitude du soleil. Tu oublies que je suis née ici!

— Je sais bien, mais depuis plusieurs années

— Ce sont des choses que l'on n'oublie pas, lança-t-elle avec gaieté, je ne peux pas avoir oublié, d'ailleurs, c'était si important.. Tu ne peux pas comprendre. . Tu ne comprendras peut-être jamais...

Soudain, son rire se figea. Elle regarda Julien avec plus d'assurance, dans cette pièce sombre et dépaysante. Et voilà qu'elle comprenait que les révélations de Leila ne changeaient pas grand-chose... Elle avait enfin su la vérité mais entre-temps avait perdu Julien; il était allé vers une autre, il l'avait écartée de sa vie, de son cœur...

Avec discrétion, le père et le fils s'étaient retirés. Ils étaient allés s'installer sur l'esplanade. Le soir et la fraîcheur tombaient lentement sur Tamerza... Julien et Sabine étaient face à face...

Comme elle eût aimé courir vers lui, balbutier qu'elle l'aimait, qu'elle n'avait jamais cessé, qu'il lui avait horriblement manqué pendant ces deux longues années...

Mais elle ne lui avait peut-être pas manqué longtemps, elle; et sa place auprès de lui avait été prise...

— Veux-tu que nous reprenions la route? demanda-t-il. L'air frais te fera du bien...

— Mon pauvre Julien, tu me parles comme on parle à une malade. J'ai eu une grosse émotion, tout à l'heure, c'est vrai, mais je ne regrette rien...

— Tu as de la chance de posséder cette heureuse nature! Tu ne regrettes sans doute jamais rien, en effet!

Au lieu de la vexer, la réflexion de Julien cette fois

l'attendrit. Elle se rapprocha de lui et, posant son regard dans les yeux assombris par la pénombre de la pièce, elle demanda doucement :

— Pourquoi? Il t'arrive, à toi, de regretter quelque chose?

Alors, dans la minuscule échoppe où le hasard les faisait pour la première fois s'affronter avec gravité et sincérité, la voix de Julien murmura ·

— Oui. Je nous regrette.

— Mais puisque tu aimes une autre femme, balbutia Sabine, puisque tu ne m'as jamais cherchée, puisque tu me méprises.

— Je n'ai pas l'habitude de courir après ce qui m'est refusé! Je ne peux pas ne pas en vouloir à ma femme alors qu'elle m'a trompé!

— Mais je ne t'ai pas trompé, dit Sabine, demeurant face à Julien, frémissante, apeurée, consciente que pour la première fois elle avait une chance d'être entendue

Pour toute réponse, Julien sortit de son portefeuille une feuille de papier bleu pliée en six...

— Relis toi-même ta dernière lettre, ma chère

— Je la connais. Je me la suis reprochée tant de fois.

— Il valait mieux me l'écrire, cependant, fit-il avec tristesse

— Je t'ai dit · « Je t'ai trompé malgré moi » « Malgré moi »

— C'est ce que disent toutes les femmes qui se sont laissé séduire!

— Mais pas moi

A nouveau elle s'était mise à marcher dans la pièce, mais cette fois, elle tournait autour de Julien et, peu à peu consciente de ce manège absurde, elle proposa

— Si nous allions ailleurs? Retournons à la voiture

— Comme tu voudras. Il faudra demander à nos gentils amis de nous excuser. Nous avons mis leur politesse à rude épreuve!

— Toutes les femmes sont capricieuses, affirma le jeune marchand en bombant le torse. Ici nous ne voyons que ça!

Ils saluèrent mille fois, remercièrent et parvinrent à la voiture. Julien démarra aussitôt, peut-être pour éviter un attendrissement dont il se méfiait.

Ils reprirent la route, montant dans le crépuscule rose et mauve. De part et d'autre de la route, des terrasses de quartz, des forteresses de pierre amoncelaient leur désordre, leur austère grandeur. De vastes abîmes séparaient ces cañons. Ils contemplèrent longtemps en silence les beautés qui leur étaient offertes, puis soudain Sabine osa parler. D'une traite, elle raconta la visite du docteur Verrière, sa décision un peu folle de partir, son amertume lorsque, pendant les premiers mois de leur séparation, il n'avait tenté aucune démarche pour la revoir...

Il n'y avait pas un quart d'heure qu'elle parlait lorsque Julien gara brusquement la voiture sur une esplanade creusée dans la montagne.

— Que fais-tu? demanda Sabine

— Je plante notre tente pour la nuit. Je suis dans une colère épouvantable Je n'aurais jamais dû t'épouser!

Elle pâlit. Pendant ces minutes où elle avait osé dire enfin la vérité, elle s'était reprise à espérer follement que Julien aurait envie d'effacer le mauvais rêve, de reprendre le bonheur où ils l'avaient laissé.

— Mais, insista-t-elle, ce n'est pas ma faute si j'ignorais...

— Et pourquoi ne pas avoir choisi de m'en parler, pourquoi avoir supposé que je ne voudrais plus de toi? C'est inadmissible! L'amour suppose une entière confiance!

— Tu parlais souvent de tes ancêtres, tu évoquais aussi ma propre famille, dont tu connaissais l'histoire... Si je n'avais pas été une Puymorens...

C'était lui maintenant qui piétinait les cailloux et tournait autour d'elle, les mains derrière le dos, la tête penchée...

— En somme, tu me soupçonnais de t'avoir choisie pour tes respectables ancêtres?

— Pas tout à fait, mais tu semblais y attacher plus d'importance que tu ne veux maintenant l'admettre...

— Alors tu as conclu que puisque tu avais épousé un homme rempli de préjugés de classe, mieux valait l'abandonner sans explication. Et en effet, un pareil conformiste n'eût pas mérité un autre traitement...

— Et toi, tu as aussitôt pensé que je ne pouvais t'avoir quitté que pour un autre homme. Tu n'as même pas essayé de vérifier!

— Quand on reçoit une lettre aussi stupide, aussi romantique et tragique, à quoi d'autre penserait-on?

— J'étais bouleversée.

— Et j'étais le seul être au monde à qui tu n'aies pas pu te confier! Tu as préféré faire des recherches, téléphoner à n'importe qui...

Ils étaient maintenant séparés l'un de l'autre par une arête de rocher bleutée, grimpant comme une bête fantastique vers le haut de la montagne. La nuit tombait. Les dernières lumières, vaporeuses, mouvantes et douces, soulignaient les crêtes déchiquetées. Ce paysage de fin du monde qui s'enlisait peu à peu dans la nuit apparaissait à Sabine comme l'image même du naufrage qu'elle était en train de vivre

— C'était mon devoir, répliqua-t-elle Je voulais savoir la vérité.

— Et tu n'as pas pensé à la demander au notaire de ta famille?

— Au notaire?

Julien avançait maintenant vers le monstre de

pierre qui semblait dérouler entre eux deux ses anneaux monstrueux.

— Bien sûr, au notaire! Ce sont en général les hommes de loi qui connaissent ces détails...

— Mais ce notaire, tu l'avais vu avant notre mariage et il ne t'avait rien dit...

Comme pour souligner l'importance de la nouvelle, Julien grimpa sur le dos du monstre pour lancer

— Qu'en sais-tu?

Dans les veines de Sabine, le sang des Puymorens ne fit qu'un tour :

— Comment! Tu le savais et tu ne me l'a pas confié! Une nouvelle aussi importante! Et tu parles de la confiance nécessaire en amour!

— Je ne voulais pas trahir tes pauvres parents. Ils tenaient absolument à ce que tu ignores... Ils t'aimaient tant... Ils avaient demandé au notaire de révéler ce secret à l'homme qui t'épouserait... Peut-être auraient-ils changé d'avis s'ils avaient vécu plus longtemps...

— Alors tu m'as obligée à souffrir pendant toutes ces années, à douter, à pleurer...

Et, s'attendrissant brusquement sur elle-même, sur sa solitude et ses efforts inutiles, Sabine se mit à pleurer à gros sanglots comme une petite fille!

Julien n'eut pas l'air de s'émouvoir. Au contraire. Comme si la bête menaçante sur laquelle il restait juché lui communiquait une ironie plus diabolique, il poursuivit :

— Tandis que moi, j'ai été merveilleusement heureux pendant ce temps! Je nageais dans la félicité! Ma vie était une succession de plaisirs!

— Tu as tout de même eu l'occasion d'utiliser ta célèbre séduction, répliqua Sabine soudain habitée par la jalousie. Tes achats en sont la preuve!

— Mes achats?

— L'intaille, la fameuse intaille, celle dont tu as si minutieusement vérifié la perfection...

Julien sauta de son piédestal et, courant vers elle, la prit dans ses bras en riant :

— Excellent procédé, n'est-ce pas? Excellent! J'avais fait un vœu dans cette boutique où nous nous trouvions pour la première fois réunis depuis si longtemps. Quand j'ai vu cette bague magnifique, je n'ai pas voulu insulter l'avenir, je me suis dit : « Parions pour le bonheur »... Et j'ai pris pour toi ce bijou...

Elle aurait voulu le croire, fondre de désir et de bonheur dans ses bras, mais elle restait muette, figée par le doute, épuisée aussi par les confidences qu'il venait de lui faire.

Inquiet, il la berçait tendrement contre lui, parlant avec douceur...

— J'ai peut-être trop souffert, murmura-t-elle.. Je... je n'y crois plus.. Tout à l'heure encore...

La soutenant par la taille, il la força à renverser la tête vers lui...

— Dépêchons-nous de nous regarder, chuchota-t-il, bientôt la nuit nous en empêchera.. Souris-moi vite... Je ne suis ni explorateur ni pilote d'essai, il est vrai, mais...

— Mais tu es tout de même un honnête collectionneur de pièces anciennes, répondit-elle, soudain délivrée, en se serrant contre lui. Aussi, peut-être te donnerai-je la pièce en or d'El Jem, si tu consens à être gentil, à m'écouter jusqu'au bout, à me croire..

— Et autrement?

— Autrement, je courrai vers le haut de la montagne, sans me retourner, et comme il fera nuit je me perdrai au fond d'une grotte ou je tomberai dans un ravin. Ce sera triste La médaille d'or est dans la poche de ma blouse, épinglée dans son petit sac de toile...

— Est-ce une menace? Dois-je t'empêcher de t'enfuir? Si tu portes sur toi un pareil trésor, j'ai intérêt à te garder!

— Je ne suis pas opposée formellement à cette solution, dit-elle en jetant ses mains autour du cou de Julien.

Alors, dans la nuit que n'éclairait encore aucune étoile, la magie d'autrefois reprit sa puissance et leurs deux corps cessèrent de se provoquer pour s'aimer. Julien retrouva la bouche de Sabine et elle s'offrit sans réticence aux baisers, aux caresses qui les avaient si farouchement liés au temps du bonheur et du malheur, au temps de la vie paisible, au temps plus long de la rupture et des rancunes, au temps des jalousies et des soupçons.

— Cela ressemble à une abominable préméditation, murmura Sabine lorsque Julien revint vers elle et, l'enveloppant de douces couvertures, la coucha dans un pli moelleux du talus.

— Tu oublies que ta conduite jusqu'ici ne me permettait aucune espérance...

— J'oubliais aussi que tu n'aimes pas les amazones...

— Il y a donc des traîtres dans nos services diplomatiques...

Elle lui raconta comment elle l'avait défendu lorsque l'attaché de presse avait fait allusion à son mariage.

— Je suis de ton avis, dit-il, cette petite sotte avait eu tort de le quitter.

— Mais il n'a pas essayé de la reprendre! En réalité, c'est un homme sans cœur...

Comme il était doux d'évoquer tant de méprises, tant de chagrins évanouis! Ils n'en finissaient pas d'entrecouper de confidences leurs étreintes et d'interrompre leurs baisers pour évoquer un autre souvenir, une autre anecdote...

La première étoile vint briller au-dessus de la montagne. Elle farda les plus hautes crêtes d'une sorte de halo tandis que le reste des massifs et des vallées profondes demeurait invisible. Le ciel se rapprochait de leurs têtes au point qu'ils pouvaient rêver qu'ils volaient...

Sabine soudain se redressa. Une ombre venait de passer sur le bonheur retrouvé :

— Sais-tu que mes parents se sont enfuis d'Algérie par cette route?

— Je le sais. La famille de ta mère refusait l'idée qu'elle puisse épouser un homme condamné.

— Condamné?

— Tu sais que Jacques de Puymorens est mort de leucémie, fit doucement Julien. Il savait qu'il était condamné...

— Pourtant ma mère est morte avant lui, remarqua tristement Sabine. A l'hôpital de Gafsa, à cette époque, il n'y avait peut-être pas...

— Elle est morte dans les bras du docteur Verrière, précisa Julien.

— Le docteur Verrière! Mais c'est lui...

Une fois encore elle recommença le récit de la visite du vieil homme.

— Il aurait pu t'expliquer, dit Julien. Il était parfaitement au courant.

— Je ne lui ai pas dit qui j'étais... Enfin, qui je croyais être jusque-là...

— Je reconnais bien là l'entêtement des Puymorens, leur orgueil farouche! Avoue que je devrai avoir beaucoup de patience pour te garder auprès de moi. Une femme aussi imprévisible!

— Je ne serai plus jamais imprévisible, Julien! Je serai ce que tu voudras, je t'aime, je t'aime tant...

— Au point d'accepter de moi un modeste présent dans cette nuit noire?

Pour toute réponse, elle se serra un peu plus fort contre lui. Il l'écarta doucement en chuchotant :

— Elle est épinglée, dans son sac de toile, à l'intérieur de ma chemise

— Dans ce cas, nous allons faire un échange très protocolaire, comme pour une remise de lettres de créance! s'exclama Sabine

L'intaille et la pièce d'or changèrent de propriétaire.

La cérémonie fut suivie d'un long baiser, de caresses, de murmures dont la grande nuit environnante gardait le secret.

— Crois-tu, dit encore Sabine attendrie, crois-tu que mes si jeunes parents aient fait une halte dans ces montagnes?

— Peut-être C'est vrai qu'ils sont jeunes, ils sont jeunes pour toujours. Dans quelques années, ils auront l'âge de nos enfants...

— Et tu m'aimeras encore lorsque j'aurai l'âge d'être la mère de ma mère? demanda-t-elle, sincèrement impressionnée par cette éventualité.

— Je crains de ne plus avoir beaucoup d'occasions de me détacher de ma femme, répondit-il sur un ton faussement dramatique C'est évidemment regrettable pour ma liberté, pour la paix de mon cœur.

— Pour les pauvres jeunes femmes que vous séduisez dans les salons des ambassades. .

— Quelles jeunes femmes?

— Je pense en particulier à la charmante Emma que tu serrais de si près le soir où nous nous sommes revus à Tunis...

Julien éclata de rire :

— Emma? Je l'ai connue petite fille. Je l'adore, en effet C'est la sœur de François Danglade...

— La sœur de ton ami d'enfance? Celui qui était venu si souvent dîner pendant son séjour à Paris?

— Exactement Nous faisions beaucoup de

misères à Emma lorsqu'elle était encore petite et que nous étions déjà des garnements. Elle affirme même qu'un jour nous l'avions battue Elle exagère sans doute, mais nous lui racontions des histoires horribles. Pauvre Emma. . Maintenant elle ne s'y laisserait plus prendre!

— J'espère bien. Mais alors l'ambassadrice avait raison de dire que vous étiez « une paire d'amis »?

— J'espère que tu n'as pas conclu différemment!

— Moi! Il aurait fallu pour cela que je sois jalouse, s'écria Sabine en riant! Non. J'avais seulement envie de vous tuer, de vous découper tous deux en petits morceaux pendant que vous parliez à voix basse sur ce canapé!

— Voilà qui est rassurant, ma chérie J'ai moi-même failli plusieurs fois me battre avec l'éternel attaché de presse qui ne te quittait plus. Mais, bien sûr, ce n'était pas par jalousie!

Ils allaient ainsi parler et s'aimer toute la nuit. Rien n'aurait pu les distraire de ce bonheur revenu par enchantement et auquel chacun d'eux avait pendant tant de mois renoncé

— Tu fais une drôle d'envoyée spéciale! remarqua Julien entre deux baisers.

— Envoyée spéciale? De qui? De quoi? Plus jamais!

Et au souvenir de Fayçal gisant sur la civière et désespéré d'avoir « trahi », elle sentit soudain l'indignation monter en elle.

— Aurais-tu oublié que ton directeur est un génie de l'information? interrogea-t-il malicieusement.

Alors elle lui raconta la conversation téléphonique. Au fur et à mesure qu'elle se souvenait, sa colère montait :

— Il m'a demandé « comment » étaient les morts! Quel monstre! Sans doute voulait-il des détails piquants sur ces malheureuses victimes.

— Mais les lecteurs adorent
— Alors, ce ne sont pas les lecteurs que je souhaite Je ne pourrai jamais faire un reportage « déchirant » sur une situation si grave par elle-même!
Et soudain elle demanda :
— Crois-tu qu'ils vont pendre Fayçal?
— Ferais-tu allusion au cavalier si complaisant
Elle le fit taire Il ne fallait plus se moquer Fayçal faisait partie de ceux que les révolutions surprennent même s'ils les ont désirées, parce qu'elles se déroulent toujours dans le sang.
— Nous ferons prendre de ses nouvelles, proposa Julien. S'il ne se livre pas, personne ne l'inquiétera...
— Je crois qu'il se livrera, affirma lentement Sabine Il se sentait déjà coupable Il n'est pas homme à supporter la honte Il acceptera le châtiment.
Les étoiles étaient peu à peu apparues les unes à côté des autres, éclairant un ciel devenu gris pâle. Le vent se leva et son souffle, parcourant les couloirs de rochers, répercuté par les parois de quartz et de calcaire, faisait entendre comme une longue plainte Sabine frissonna dans les bras de Julien
— Tu penses à Gafsa, n'est-ce pas?
— C'est ma ville natale et je l'ai vue sous les roquettes et dans les incendies, admit-elle tristement Tant de victimes innocentes...
— Nous reviendrons ensemble au printemps, je te le promets, dit gravement Julien. Tu dois me faire visiter les oasis, ne l'oublie pas. Je ne connais encore ni Tozeur ni Nefta.
— Oh Julien, ce serait si merveilleux!
— Tu as froid? fit-il en la pressant contre lui, je vais te porter jusqu'à la voiture. Nous avons encore beaucoup de route à faire et l'air ici est glacé...
Il la souleva sans peine Elle retrouva aussitôt la

manière de s'accrocher légèrement à son cou tandis qu'il allait à grands pas, évitant les embûches et les pierres mobiles sur le terrain.

— Je vais faire marcher le chauffage, annonça-t-il en la déposant à sa place, à côté de lui.

Pour Sabine, cette précaution, ce geste simple prouvait autant que les baisers de Julien la reprise de leur vie commune S'il ne voulait pas qu'elle ait froid, s'il ne voulait pas qu'elle trébuche en marchant de nuit sur un terrain accidenté, c'était qu'il la prenait en charge, qu'elle redevenait sa femme.

Alors, tendrement, les larmes aux yeux, elle enleva la couverture dans laquelle il l'avait enveloppée et la jeta sur leurs épaules tandis qu'il faisait chauffer le moteur.

— Merci, madame, dit Julien.

Mais comme ils étaient aussi des amoureux avides de retrouver chacun le corps de l'autre, impatients de combler tant de mois de solitude et de rêveries tentatrices, ils se jetèrent à nouveau dans les bras l'un de l'autre, et, dans la paix silencieuse du désert, le désir et la passion les unirent longuement.

A l'aube, la voiture reprit la route vers les sommets, emportant les Croiseau vers la frontière

Achevé d'imprimer le 3 octobre 1980
sur les presses de l'Imprimerie Bussière
à Saint-Amand (Cher)

— N° d'édit. 4287 — N° d'imp. 1661 —
Dépôt légal 4e trimestre 1980.
Imprimé en France

ÈVE SAINT-BENOÎT

N° 27. LA MADONE AUX VIOLETTES

Si Anabelle de Villermont avait su ce qui l'attendait en mettant le pied sur l'île de Chypre, elle n'aurait pas quitté son brumeux château d'Arromanches. Les violettes de la Madone qu'on lui offre à son arrivée ne sont-elles pas un étrange présage? Et Dorian, le fascinant duc de Clayton, n'est-il pas l'envoyé de Cupidon?
Mêlée à des personnages de haute lignée, Anabelle ne se doute pas que parmi eux se trouvent d'infâmes intrigants...
La jeune fille sortira-t-elle intacte du terrible jeu dans lequel elle est entraînée?

ÉLISABETH GEOFFROY

N° 39

LES AMANTS DE SAINT-DOMINGUE

Des cocotiers et des palmiers dominant des champs de coton, la vie indolente des planteurs au rythme des récoltes et des fêtes : Saint-Domingue, en cette fin du XVIIIe siècle, semble être un paradis terrestre, une île de bonheur où viennent s'échouer et mourir toutes les peines. Mais qu'y a-t-il derrière ce décor? Quels secrets cachent Frédéric de Baumes et l'inquiétant Lambalfière?
A l'ombre des flamboyants, Elisabeth découvre les jeux cruels du destin et de l'amour...

CAROLINE PASQUIER

N° 24

LE TOURBILLON DES PASSIONS

En plein centre de Paris, un jardin secret aux couleurs d'un rêve... En y pénétrant, la petite vendeuse Sophie ignore qu'elle rencontrera le séduisant Fabrice Albert-Lassalle. Ce riche héritier est un don Juan, et aucune femme ne résiste au charme insaisissable de cet homme secret. La passion de Sophie viendra-t-elle à bout de la résistance de celui qu'elle a aimé dès leur première rencontre? Éblouie par un monde dont elle ne soupçonne pas les dangers, la jeune fille s'est précipitée au-devant du tourbillon qui emportera son cœur.